Comment
faire face
aux
filles

Peter Corey

Chantecler

Titre original: *Coping with Girls*
Texte © Peter Corey, MCMXCII.
Illustrations © Martin Brown, MCMXCII.
Published in arrangement with Scholastic Childrens Books
© Zuidnederlandse Uitgeverij N.V., Aartselaar, Belgique,
MCMXCIV. Tous droits réservés.

Cette édition par: Chantecler, Belgique-France.
Traduction française: Philippe Bracaval.
D-MCMXCIV-0001-221
Imprimé en Belgique.

Introduction......

La fille qui lirait ces pages est instamment priée de retourner le livre. Par conséquent, je te donne exactement une seconde pour vérifier que tu ne tiens pas ce livre à l'envers et une deuxième pour voir si tu n'es pas une fille. Un doute t'habite? Tant pis pour toi. C'est fait? Bien. Dorénavant, je présume que je m'adresse exclusivement aux mecs, aux mâles, aux durs, aux vrais, aux tatoués. Et éventuellement à quelques indécis.

J'espère qu'à présent il est bien clair que ce livre s'adresse aux hommes et uniquement aux hommes. Après tout, nous avons déjà suffisamment de mal à tenir tête aux filles sans qu'elles ne se mettent à percer tous nos secrets. Si elles venaient à les découvrir, elles auraient un avantage de plus sur nous et je suis intimement convaincu qu'elles en ont déjà suffisamment. Je sais qu'on n'arrête pas de nous rebattre les oreilles en disant que nous vivons dans un monde d'hommes, mais il s'agit là d'une manœuvre de propagande issue de l'esprit maléfique des femmes et destinée à nous réconforter dans notre malheur. On n'en attendait pas moins de leur part.

3

Prends le temps de réfléchir un instant. Rappelle-toi ta prime enfance et l'époque à laquelle tu n'étais qu'un bébé. Qui ne se lassait jamais de répéter ce qu'il fallait faire ou ne pas faire? Ta mère, qui est probablement une femme. Et je suis persuadé que tu sais déjà qu'une femme n'est rien d'autre qu'une fille vêtue d'un cardigan de chez Marks et Spencer. Depuis ta naissance, une femme régente ta vie. Et lorsque tu as pris le chemin de l'école, qui t'a obligé à te lever le matin? Ta mère. Encore cette femme. Qui t'a sommé d'arrêter de souiller la moquette avec le sang du hamster, alors que tu t'amusais en toute innocence avec cette petite boule de poils? Ta mère. Encore et toujours cette femme.

TU N'AS RIEN À FAIRE DANS CETTE PARTIE DU LIVRE

Être un Garçon...

Avant d'essayer de sonder les arcanes de l'esprit féminin afin de mieux pouvoir le contrer, nous devons nous efforcer de comprendre les tics, les manies et les sentiments qui animent les garçons. Bien sûr, je ne déclare pas que les garçons tiquent dans le sens littéral du terme. En fait, je veux simplement dire qu'en réalité les garçons n'ont pas davantage de tics et de manies que les filles. Mais la véritable manie des garçons est de se salir, ce que les filles font généralement moins. Nous éviterons de parler ici des saletés que les garçons disent (voir Vulgarité), même si je pense que les filles en racontent autant que les garçons. Non, nous n'aborderons que la saleté qui tache les vêtements. Les garçons n'adorent-ils pas se vautrer dans la boue? Mais ce n'est pas tout. Les garçons aiment également se salir avec de la colle et de la peinture. Une autre caractéristique typiquement masculine est le sens de l'exploration, ce qui explique pourquoi ils se coincent souvent la tête dans les clôtures destinées à soustraire les jardins des propriétaires aux regards indiscrets. Et pourquoi les garçons sont-ils comme cela? Tout simplement parce qu'ils possèdent un goût prononcé pour l'exploration. Cette soif innée de tout savoir et de tout connaître les envoie à la conquête d'horizons inconnus. Les filles, quant à elles, sont simplement poussées par une curiosité maladive.

Faire face aux parents

Être un garçon n'est pas une sinécure. En effet, les espoirs les plus fous reposent sur les épaules des garçons, et ce depuis leur plus tendre enfance. Tous les pères du monde caressent le rêve obsessionnel de voir leur fils sélectionné pour l'équipe de France de football. Si tu es l'aîné, la situation est encore plus insupportable. On attend que tu découvres un remède contre le cancer et qu'à l'occasion de la Coupe du Monde, qui se déroule cette année-là en Antarctique pour des raisons aussi mystérieuses qu'obscures, tu marques le but décisif contre l'Argentine sur une passe en or de Papin. Juste ciel! Est-ce que les parents se rendent bien compte de la dextérité et du talent qu'il faut pour envoyer un ballon givré dans le but, lorsqu'on est vêtu d'une combinaison polaire?

Et qu'attendent tes parents de ta petite sœur? Rien, si ce n'est d'épouser un chouette gars. De préférence, un gars répondant au nom de Charles-Édouard, (a) capable de découvrir un remède contre le cancer tout en marquant un but de la tête ou (b) tout simplement un représentant en double vitrage.

L'injustice est flagrante. Mais la morale ignore la justice. Dans ce cas, tu peux t'en tirer avec une grimace et un ricanement. Il est préférable d'arborer un ricanement stupide qui convaincra tes parents que tu es fou à lier et qu'ils doivent te laisser en paix.

Faire face aux autres garçons

Et comme si toute la tension exercée par les parents ne suffisait pas encore, nous devons supporter la pression omniprésente de la part des autres garçons. C'est vraiment la galère, je peux te l'assurer. Rassure-toi, cette situation stressante cesse lorsqu'on fête son centième anniversaire, car c'est généralement vers cet âge-là que les hommes se rendent compte que tous les autres ne sont pas capables de faire tout ce dont ils ne cessent de se vanter.

C'est le principal défaut des (autres) garçons : ils adorent se vanter de tout et de rien. C'est probablement leur seul défaut.

Les garçons adorent se vanter de leur exploits sportifs (ou de leur habileté à éviter de devoir faire du sport). Le sport n'est pas une passion spontanée chez les garçons, mais plutôt une réponse aux désirs de leurs parents et de leurs professeurs. Bref, c'est toujours la faute de papa, de maman ou des profs. Soyons réalistes : que peut-on attendre de toi si on te fait remarquer sans arrêt que Jean-Marc Baucou est meilleur que toi au foot. Tu réponds : «Oui, je le sais.»

Pourquoi un garçon qui se respecte compromettrait-il les chances de son école (pour ne pas dire de l'équipe de foot) tout simplement pour prouver qu'il est meilleur que ses condisciples? La réponse est simple : cela ne lui viendrait même pas à l'esprit. Pourquoi s'agiterait-il dans tous les sens, simplement pour satisfaire les ambitions de ses parents? Il n'y a aucune raison à cela, non, vraiment aucune. Quelle est la force mystérieuse qui se dissimule derrière ces ambitions typiquement puériles? Un coup du sort, un désastre, un cataclysme. Le garçon qui se respecte ne s'en rend pas compte, et il y a fort à parier qu'il ne s'en rendra jamais compte : il le fera pour impressionner une FILLE.

Je t'entends déjà marmonner : «C'est ridicule! J'ai une sainte horreur des filles!» Mais nous sommes ici en présence d'un des principaux mystères de la vie.

C'est également ce qui nous distingue des autres animaux. En règle générale, les bambins sont parfaitement insensibles au charme féminin. Ils redoutent simplement de se faire pincer les fesses par des mains féminines. Un beau soir, le petit Louis rentrera de l'école gardienne avec la ferme intention d'épouser Mélodie Dubonheur, une ravissante petite blonde avec des couettes. (Mais pourquoi les enfants de trois ans flashent-ils systématiquement sur les blondes?) C'était le mardi. Le mercredi, Mélodie n'est déjà plus qu'un vague souvenir. Il faut immédiatement annuler la cérémonie religieuse et renvoyer tous les cadeaux. En effet, le petit Louis a jeté son dévolu sur Marie Bambelle à qui il offre des épinoches. Il est évident que cette relation n'a rien de sérieux. Après tout, ils n'ont que trois ans.

Ensuite, Louis entre à l'école primaire. En moins de six mois, il aura oublié les filles. Elles sentent mauvais. Quelle horreur! Pourquoi? Qu'est-ce qui peut bien expliquer un changement aussi radical? Serait-ce un truc utilisé par la nature pour nous faire étudier sans nous autoriser la moindre distraction?

Pour expliquer un phénomène aussi complexe et aussi étrange que celui-ci, nous devons fouiller le passé et tenter d'analyser pourquoi les hommes et les femmes entretiennent une relation aussi étrange, communément décrite comme la Guerre des Sexes. En a-t-il toujours été ainsi? Y a-t-il eu un point de départ? Qui a déclaré la guerre à l'autre? Qui a tracé les lignes du front? Faisons un saut dans l'histoire pour tenter d'expliquer les causes profondes de ce phénomène...

L'Approche historique

L'ORIGINE DU CONFLIT

J'accuse Dieu. Ou non. Permets-moi de reformuler ma phrase. Je n'accuse pas Dieu, car on n'accuse pas Dieu en toute impunité[2]. Je suppose, avec tout le respect dû à Son rang, que si on Lui posait la question, Dieu répondrait : «C'est ma faute, les gars». Après tout, Il créa l'homme à Son image et l'appela Adam, un nom qui n'eut jamais beaucoup de succès. Ensuite, alors qu'Adam dormait du sommeil du juste, Il lui préleva une côte et créa une femme qu'Il appela Ève.

J'ai deux raisons de croire que Dieu a agi durant le sommeil d'Adam : (1) Si Adam n'avait pas été endormi, il aurait souffert le martyre, car les anesthésiants locaux n'existaient pas encore à l'époque. (2) Si Adam avait été éveillé, Dieu lui aurait demandé sa permission. Après tout, on n'arrache pas les côtes des gens sans leur demander leur avis, même s'ils bénéficient de la Sécurité sociale. Même si vous vous appelez Dieu. De plus, si Dieu lui avait demandé la permission de lui «extirper» une côte, Adam aurait certainement demandé ce qu'Il avait l'intention d'en faire.

---

1. Dans le sens de la petite histoire et non de l'Histoire avec un grand H.
2. Mise en garde : si tu envisages d'offenser Dieu et si tu crois pouvoir agir en toute impunité, je te recommande fortement de ne pas t'abriter sous les arbres durant les orages, car tu risques de t'attirer les foudres du Créateur.

Mais pourquoi Adam aurait-il voulu une femme? Il ignorait tout du mariage, de l'amour et de ce genre de choses.
En fait, il ne savait pas grand-chose de quoi que ce soit.
Il ne connaissait que les pommes et les serpents, mais il
ignorait si les granny smith étaient des fruits ou des
reptiles.

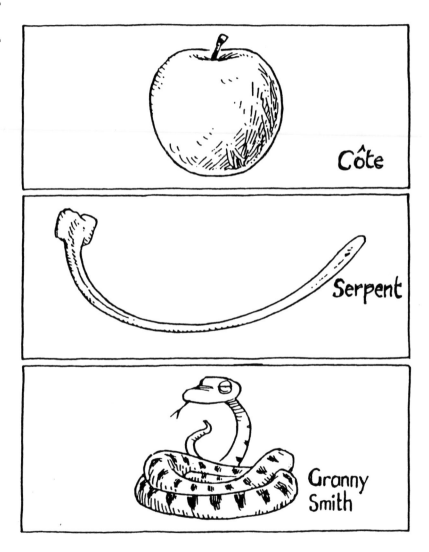

10

J'ai toujours eu du mal à comprendre pourquoi la femme avait été créée à partir d'une côte masculine. Après tout, il est difficile d'imaginer que les chanteuses du groupe Bananarama descendent d'un train de côtes à l'os. C'est impossible. Même lorsqu'on les a entendues chanter. Si Dieu lui avait demandé son avis, Adam aurait certainement préféré un ballon de foot, une console de jeu ou n'importe quoi plutôt que de se faire amputer. Seulement Dieu ne lui a rien demandé. Voilà donc comment tout a commencé.

La plupart des querelles qui opposaient Adam à Dieu (et je puis t'assurer qu'elles étaient fréquentes) résultaient de choses qu'Ève avait faites. En fait, elle ne les avait pas faites personnellement, mais elle avait incité Adam à les faire : croquer la pomme, adresser la parole au serpent. Je t'entends déjà dire : «Quel imbécile, cet Adam, il n'était pas obligé de faire les quatre volontés d'Ève». Si de telles idées te traversent l'esprit, tu es à mille lieues de comprendre le fonctionnement de l'esprit féminin, sans parler du caractère pernicieux de la langue féminine.

Crois-moi, il est à la fois plus rapide et plus facile de ne pas discuter avec une femme et de lui donner raison tout de suite. C'est une leçon que les anciens Grecs avaient comprise très rapidement, même s'il n'en reste que très peu pour confirmer mes propos, car la guerre de Troie avait fait de très nombreuses victimes. Cette guerre fut déclarée à cause d'une femme.

Ah! Hélène de Troie. Une beauté stupéfiante, si l'on en croit les journaux à sensation de l'époque. Même si les Grecs étaient tous éperdument amoureux d'elle, ce furent les Troyens qui perdirent la tête (au sens propre). Je me réfère ici à l'épisode du cheval de Troie, évidemment.

Les Grecs qui assiégeaient la ville de Troie ne voyaient pas comment s'y introduire. C'est alors qu'une poignée de Grecs plus inventifs que les autres eut l'idée de construire un énorme cheval de bois, de le truffer de soldats et de l'abandonner aux portes de Troie. Les Troyens croiraient qu'il s'agissait d'un cadeau et ils s'empresseraient de le faire entrer dans la ville. Débile, non? Je parie que tu n'as jamais entendu une histoire aussi idiote. Moi non plus. Le comble est que la ruse a marché. Les Troyens ont vraiment cru qu'une personne bien intentionnée avait abandonné un splendide cheval de bois devant les portes de la ville. À peine avaient-ils introduit ce don du ciel dans l'enceinte de la ville que les hommes du G.I.G.N. grec sortirent des entrailles du cheval pour décimer les Troyens.

Mais comment les Troyens ont-ils pu croire, ne fût-ce que l'espace d'un instant, qu'ils pouvaient recevoir des cadeaux alors que la guerre faisait rage? Je pense que quelque chose (ou peut-être même quelqu'un) était venu troubler leur bon sens. En définitive, cette personne s'appelait Hélène. Les Troyens apprirent à ne jamais sous-estimer le pouvoir de la beauté féminine.

LE CAFARD ANTIQUE

Les Romains ont également joué un rôle prépondérant dans la Guerre des Sexes. Prenons l'exemple de Jules César. Ce guerrier hors du commun, ce général extraordinaire conquiert la moitié du monde connu et trouve encore le temps de donner quelques chrétiens en pâture aux lions. Que se passe-t-il ensuite? Il se dispute avec son meilleur copain, Marc Antoine. Pour une affaire d'État? Pour une question de principe? Non, tout simplement pour une histoire de bonnes femmes. Ils étaient tombés tous deux amoureux de la même femme. Bien sûr, ce n'était pas une femme ordinaire : il s'agissait de la reine d'Égypte, la belle Cléopâtre, à côté de qui Miss Monde ferait piètre figure. Ceci ne constitue qu'un des nombreux exemples historiques où une amitié de longue date s'est brisée à cause d'une femme.

NON, C'EST MOI QUI SUIS INVITÉ CHEZ LES PARENTS DE CLÉOPÂTRE

Lorsque les Romains conquirent la Grande-Bretagne, la plupart des Bretons, qui avaient l'habitude de se peindre en bleu, les regardaient faire sans sourciller. Après tout, les Romains ne se doutaient pas que plusieurs siècles plus tard, les Anglais allaient prendre leur revanche en achetant des villas italiennes en multipropriété, en polluant les rues italiennes avec des cannettes de bière et des hooligans déchaînés. Evidemment, l'Anglais moyen (qui était Breton à l'époque) était très heureux de voir les Romains

construire des axes routiers, aménager des systèmes d'é-
gouts et rebaptiser les villages (dont le nom se terminait
alors en -chester). La reine Boadicée était très fâchée. A-
lors que tout le monde pensait qu'il ne fallait pas jouer les
trouble-fête et que les Romains finiraient bien par quitter
le pays[1], Boadicée préconisait de les chasser de leurs ter-
res par la force. Elle ne fit pas les choses à moitié. Oh,
que non. Elle fixa d'énormes lames de fer aux roues de
son char, ce qui eut pour effet de couper les jambes (dans
le sens de la longueur) aux envahisseurs. Boadicée voulut

simplement effrayer les Romains, mais ceux-ci eurent dès lors les pires difficultés à prendre leurs jambes à leur cou. Cette anecdote historique constitue un des premiers exemples de ce qui fut appelé la logique féminine.

Et quelles furent les conséquences de cette ingérence de Boadicée? Le chaos, une pagaille dont les Anglais subissent encore quotidiennement les effets. Les routes, par exemple. Si Boadicée avait laissé aux Romains le soin de s'occuper des routes, nous n'aurions jamais connu de problèmes. Les Britanniques n'ont jamais excellé dans l'art de construire des routes. S'ils sont brillants dans une multitude de domaines, ils ne le sont pas dans le domaine du génie civil. Si un jour tu te retrouves sur le bord d'une autoroute anglaise, que d'épaisses volutes de fumée s'échappent du capot de la voiture et des oreilles de ton père et que ta mère tient la carte routière à l'envers en disant : «J'avais bien dit que nous devions tourner à droite à Chipping Norton», tu sauras qui est responsable de cet état de fait. C'est Boadicée. Une femme, une fois de plus. Mais l'histoire ne s'arrête pas là...

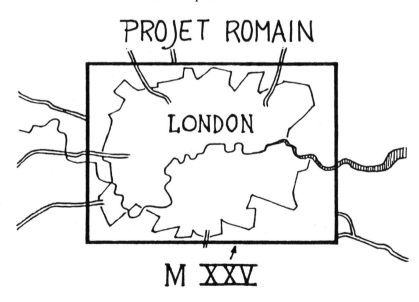

On croit communément (en fait, ce sont surtout les filles qui le croient) que les chevaliers qui partaient pour la Terre sainte s'amusaient comme des fous. En fait, si tu é-tais assez stupide pour lire la seconde moitié du livre, tu aurais presque l'impression qu'elles auraient voulu être du voyage. Réaction idiote, n'est-ce pas? Fais un effort d'imagination. Qu'aurais-tu fait en pareille circonstance? Serais-tu parti pour le Proche-Orient pour aller y trimba-ler sous un soleil de plomb ta misérable carcasse ou au-rais-tu rejoint la bande à Robin des Bois? La réponse est évidente. Pourquoi ces hommes partaient-ils combattre les infidèles? Parce que leur femme les y poussait.

Tu n'auras aucun mal à te mettre à leur place. Tu vis dans un grand château, sans eau courante ni électricité, traversé de toutes parts par des courants d'air. Tu te vois contraint de te battre du matin au soir contre tes voisins. La châtelaine se plaint sans cesse de l'absence de double vitrage et elle n'arrête pas de casser les pieds au châtelain pour qu'il installe des étagères et des rayonnages dans le garde-manger. Lorsqu'un héraut vient annoncer que le roi est à la recherche d'une poignée de volontaires pour faire une virée à l'étranger et que les candidats ont de bonnes chances d'être promus au rang de chevalier, tu peux t'imaginer la réaction des hommes, en particulier lorsque l'autre solution consiste à rester à la maison pour se faire rebattre les oreilles du matin au soir.

C'était également une question de galanterie. La femme médiévale appréciait tout particulièrement cet aspect de l'esprit chevaleresque. Elle s'offusquait lorsqu'on avait omis d'abaisser le pont-levis à son arrivée. Elle osait même bouder lorsqu'elle ne trouvait pas de siège dans le dernier carrosse à la sortie des cinémas. À l'époque, les femmes s'imaginaient même que les chevaliers étaient prêts à mourir pour elles. Plus particulièrement à...

18

Où les chevaliers se battaient et se massacraient entre eux pour conquérir les faveurs d'une belle. Et quelles étaient donc ces faveurs? Le privilège de nouer un mouchoir à l'extrémité de leur lance, même si ce mouchoir n'était pas nécessairement propre. Ah, Camelot. Un exemple de plus d'une belle amitié brisée à cause d'une femme. Ayons ici une pensée émue pour le pauvre roi Arthur. Je sais bien qu'il n'a probablement jamais existé, mais cela ne change rien au fait que si Lancelot du Lac n'était pas tombé désespérément amoureux de reine Guenièvre, le château légendaire de Camelot accueillerait toujours des touristes. Ensuite, bien évidemment, il y eut...

HENRY VIII

Pauvre Henri. Il a fallu qu'il se marie six fois avant d'avoir un héritier mâle. En fait, il a même dû inventer l'Église anglicane afin de pouvoir divorcer. À l'époque, le divorce nécessitait une procédure aussi longue que complexe. C'est ainsi que Henri, un bonhomme au demeurant très pragmatique, avait l'habitude de trancher la tête de ses femmes au lieu de divorcer. Bien sûr, il ignorait que c'était l'homme qui déterminait le sexe de l'enfant à naître. Ses médecins le savaient certainement, mais ils n'allaient pas le lui raconter. En effet, il ne faut pas disposer d'une intelligence supérieure pour savoir qu'il est très délicat de dire au roi d'Angleterre qu'il se met le doigt dans l'œil.

ELISABETH I

La reine Elisabeth fut la première reine sérieuse de l'Angleterre. J'entends par là qu'elle fut la première reine réellement importante. Il est de notoriété publique que l'ère élisabéthaine s'est caractérisée par des progrès fulgurants et des découvertes extrêmement importantes telles que la pomme de terre, le tabac et d'autres choses dangereuses pour la santé, par exemple, la décapitation.

La reine excellait dans cette discipline. Elle fit même trancher la tête d'un membre de sa famille. C'était une cousine éloignée : elle vivait en Écosse.

Elles n'arrêtaient pas de s'enchaîner aux balustrades ou de se jeter sous les sabots des chevaux. Bref, elles enquiquinaient tout le monde. Toutefois, pendant qu'elles se livraient à ces actions de protestation, elles n'étaient plus chez elles. De plus, elles ont fini par obtenir ce fameux droit de vote. Et, depuis lors, la situation n'a cessé de se dégrader.

De nos jours, il peut paraître étrange que les femmes aient pu être privées du droit de vote. On les gardait consciencieusement «à leur place». Dans certaines cultures, elles y sont encore. Aucune femme n'est admise sur le ring lors des combats de sumo. Je ne peux pas m'imaginer un seul instant que cette exclusion afflige une seule femme au monde. A moins qu'elle n'ait la taille d'un immeuble et qu'elle soit à la recherche d'un emploi. Mais je suppose qu'une femme en ferait une affaire de principe. Pourquoi les hommes ont-ils toujours refusé aux femmes les droits fondamentaux dont ils jouissaient, si tant est qu'ils en jouissent. J'aurais tendance à croire que la réponse est évidente. Les femmes s'emparent du pouvoir, car elles ne peuvent pas s'empêcher de tout régenter. Si tu acceptes une fille au sein de ta bande, en moins de temps qu'il n'en faut pour le dire, elle se charge de l'organisation, du rangement de la cabane, dont elle propose même de repeindre les murs. Mais le problème est qu'au moment où nous nous félicitons d'avoir trouvé une esclave, nous réalisons que c'est nous qui faisons ses quatre volontés et que c'est elle qui organise tout.

De plus, histoire de nous compliquer la vie, il s'avère que les femmes sont souvent meilleures que leurs homologues masculins. C'est trop injuste.
Mais pourquoi se réfère-t-on généralement aux femmes en parlant du beau sexe? Je te propose de faire un voyage à l'intérieur du cerveau féminin. Assistant, passez-moi les gants chirurgicaux.

Qu'est-ce qu'une fille ?

Un auteur a un jour écrit que «Les filles sont des êtres faits de sucre et de miel», ce qui tend à prouver qu'il ne les a pas vraiment goûtées. Mais qui sont-elles? Sont-elles des êtres humains? D'où viennent-elles? Que pourrait-on faire pour les y renvoyer?

Pour répondre à ces questions et pour éclaircir l'épais mystère qui entoure l'animal féminin, nous devons attaquer le problème à la racine.

Comment débusquer les filles?

Regarde autour de toi. Si tu es seul, le problème sera très vite résolu. Si tu te trouves dans une classe mixte, observe discrètement la faune qui t'entoure. Regarde derrière le garçon qui s'amuse à s'enfoncer le crayon dans le nez. Regarde derrière le gars qui est occupé à s'extraire le cerveau par l'orifice de l'oreille. Vois-tu des garçons qui ont l'air d'être différents? Ce sont ceux qui portent des jupes. Je ne parle pas de ces têtes d'œuf qui viennent d'arriver à l'école en provenance d'une autre galaxie (ce sont de chouettes gars, mais de vrais cochons à table). Concentre-toi uniquement sur les élèves qui portent des jupes. Ce sont des FILLES[1]. Toutes mes félicitations. Tu viens de découvrir la plus élémentaire différence entre les garçons et les filles. Il existe certes d'autres différences, mais ce n'est ni l'endroit ni l'heure d'en discuter.

---

1. Si la jupe est écossaise, il se peut qu'il s'agisse d'un garçon, aussi écossais que sa jupe. Ton prof d'anglais pourra te confirmer que cette jupe s'appelle un kilt.

Si tu parviens à faire la différence entre un pantalon et une jupe, tu es forcément capable de distinguer une fille d'un garçon. A moins qu'elle ne porte un jean[1]!

Supposons que tu aies été capable de distinguer les garçons des filles, du moins dans ton esprit. À propos d'esprit, tu dois savoir que la différence essentielle entre les garçons et les filles se situe au niveau du cerveau. Ce phénomène est unique dans le monde vivant. Chez la plupart des espèces, la différence est purement physique. Chez les paons, le mâle est splendide et gracieux, alors que la femelle est terne et banale. Il en va de même chez les humains. Mais chez les paons, le cerveau est identique chez le mâle et chez la femelle[2]. Ce n'est pas le cas chez les humains.

Le cerveau masculin est logique, intelligent et rationnel. Le cerveau féminin est un mystère qui a perturbé de nombreuses générations de scientifiques. La légende veut qu'il ait été créé par un sous-comité d'archanges débordants d'enthousiasme, un jour où Dieu avait pris congé. Avant de partir, le Créateur leur avait dit : «Comme vous n'arrêtez pas de critiquer mes œuvres, je vous laisse une côte. Nous verrons bien ce que vous pourrez en faire».

---

1. Je suppose que c'est précisément la raison pour laquelle le jean fut longtemps banni dans les écoles.
2. Ils sont tous deux d'une stupidité déconcertante.

C'est ainsi que l'homme fut créé à l'image de Dieu, mais que la femme fut l'œuvre d'un groupe d'anges rebelles, ce qui se remarque au premier coup d'œil. À présent, tu sais pourquoi les femmes, qu'elles soient jeunes ou âgées, sont comme elles sont. Mais cela suffit-il à les comprendre, à s'entendre avec elles? Bien sûr que non.

Tentons une approche différente, qui s'apparente à celle qui fit la popularité de Jules César : diviser pour régner. Essayons d'isoler quelques types de filles/femmes/êtres féminins et voyons si cette classification nous permettra de mieux les comprendre. Dans le cadre de cette analyse systématique de la faune féminine, chaque espèce a été classée selon les critères suivants :

Type : le type de fille, évidemment.

Nature et habitat : en gros, son aspect extérieur et l'endroit où tu es susceptible de la trouver.

Ce qu'elle dit : le genre de remarques qu'elle fait.

Ce qu'elle entend par là : en règle générale, cela n'a rien à voir avec ce qu'elle dit.

Le pour et le contre : les aspects positifs et négatifs. Cette section aurait tout simplement pu s'intituler *Le contre*.

les Types de filles..

1. Le garçon manqué

Nature et habitat : tous les gars qui ont fait ou font partie d'une bande connaissent un garçon manqué. En principe, chaque bande de garçons compte un garçon manqué. Cette constatation indique que les filles de ce type sont intrépides au point de se mêler à un groupe de garçons qui détestent les filles. Il s'agit également d'un label de laideur : en effet, personne ne s'imagine qu'il puisse s'agir d'une fille. Au moment où les autres se rendent compte qu'elle est réellement une fille, elle est tellement bien intégrée dans le groupe qu'il devient difficile de l'exclure.

Ce qu'elle dit : le garçon manqué ne profite pas de sa situation pour revendiquer quoi que ce soit (cette attitude est aussi bizarre que caractéristique). Une réaction typique : «Zut! Voilà une nana». En définitive, il y a belle lurette que le garçon manqué ne se considère plus comme une fille.

Ce qu'elle entend par là : «Barre-toi ou je te démolis».

Le pour et le contre : avoir un garçon manqué dans la bande présente un avantage de choix : le jour où vous cesserez de supplicier les grenouilles et que vous vous mettrez à tyranniser les filles, vous en aurez une sous la main pour vous entraîner. Le malheur est que si vous essayez de la torturer, vous regretterez amèrement d'avoir laissé tomber les grenouilles.

2. La femme fatale

Nature et habitat : elle est présente dans toutes les chansons. Elle se trouve également dans l'endroit le plus inaccessible de la classe. Elle fait l'objet de tous les fantasmes, de toutes les vantardises et de toutes les bagarres. Et malgré tout, elle demeure inaccessible.

Ce qu'elle dit : «Salut».

Ce qu'elle entend par là : «Tu n'as pas l'ombre d'une chance, mon petit gars».

Le pour et le contre : elle est un ravissement pour les yeux. Ça te fait une belle jambe. Malheureusement, elle ne se déplace jamais sans ses gardes du corps, des ex-garçons manqués à côté desquels les actrices des films d'épouvante ressemblent à des grâces divines.

28

3. L'organisatrice

Nature et habitat : elle est présente dans toutes les associations possibles et imaginables. Et lorsqu'elle n'est pas en réunion, elle s'installe à deux sièges du tien. Elle t'a sélectionné, tu représentes sa nouvelle mission. Elle ne peut s'empêcher d'organiser ta vie. En réalité, son instinct maternel a éclos bien avant ses pulsions sexuelles. Elle n'a donc pas de visées sur toi. Du moins, pas encore.

Ce qu'elle dit : «As-tu déjà terminé tes devoirs?»

Ce qu'elle entend par là : on oserait espérer que cette question signifie : «Si tu as terminé, pourrais-je les copier?» Faut pas rêver. Elle pense toujours ce qu'elle dit.

Le pour et le contre : même s'il est toujours agréable d'avoir un agenda à portée de la main, celui-ci risque de s'éprendre de toi. Une catastrophe potentielle, quoi.

4. La groupie

Nature et habitat : tu la trouveras sur la touche, quelle que soit la discipline sportive. Elle semble être le supporter le plus assidu de toutes les équipes scolaires. Écoute attentivement ses cris. Ne sont-ce pas des huées?

Ce qu'elle dit : «Passe la balle à l'ailier gauche».

Ce qu'elle entend par là : «Mon chien joue mieux au foot que toi».

Le pour et le contre : il est toujours agréable d'avoir des groupies sur la ligne de touche. Soyons réalistes : le reste de l'école ne sait même pas que l'école possède une équipe de football. Mais le gros problème avec les groupies est qu'elles sont capables de transformer les gars les plus assurés en mauviettes tremblantes. La seule chose que tu puisses espérer est qu'un jour elle cesse de fréquenter les stades et les salles de sport parce qu'elle s'est trouvé un jules. Il ne reste plus qu'à trouver un bonhomme assez téméraire ou assez dingue pour sortir avec elle.

30

5. L'intellectuelle, la réplique féminine d'Einstein

Nature et habitat : elle brigue la première place dans toutes les activités, dans toutes les matières. En fait, on la trouve partout où elle a l'occasion de briller, cette N.S.B. (nana superbalèze). Le malheur est qu'elle sait ce qu'elle vaut.

Ce qu'elle dit : «Mon Dieu, tu ne savais pas que... ?»

Ce qu'elle pense : «Comment peut-on survivre en étant aussi abruti?»

Le pour et le contre : une relation à entretenir, car elle peut être très utile pour les devoirs. Il faut cependant éviter de te lier d'amitié avec elle, car une conversation de plus de cinq minutes aurait raison de ta santé.

6. L'entremetteuse

Nature et habitat : elle est présente dans toutes les classes. Si les feux de l'amour couvent dans ton cœur et que tu n'oses pas déclarer ta flamme, adresse-toi à cette intermédiaire. Qu'il pleuve, qu'il vente ou qu'il neige, elle transmettra ton message.

Ce qu'elle dit : «Confie-moi ton secret. Je me charge de lui dire».

Ce qu'elle entend par là : «Je ferai même mieux».

Le pour et le contre : attends-toi à ce qu'elle transmette ton secret à la vitesse de l'éclair et avec la précision d'un journal à sensation. Sois certain qu'elle dira à l'élue de ton cœur tout l'amour que tu lui portes, en ajoutant de nombreux détails et appréciations personnelles. Tu peux également compter sur elle pour mettre tout le bahut au courant de cette idylle naissante.

7. L'agent 007

Nature et habitat : tu la rencontres partout où tu ne dois pas être vu au moment où tu t'y attends le moins. Si par le fait du hasard, elle est également la fille de tes parents, le danger est mortel. Les autres fils de tes parents entrent également dans cette catégorie, même si les filles sont nettement plus douées pour les pratiques de ce genre.

Ce qu'elle dit : rien, elle n'a pas besoin de parler. Elle communique à l'aide de ricanements très révélateurs.

Ce qu'elle entend par là : nuire aux autres. On a parfois l'impression qu'elle est à la solde des parents. Et ce n'est pas qu'une impression.

Le pour et le contre : évidemment, il est toujours possible de se servir d'une espionne, par exemple, afin de repousser les avances d'une fille dont on ne veut pas. Si tu envisages cette solution, réfléchis avant d'agir. Sache que l'espionne n'est jamais définitivement acquise à ta cause. Elle est vénale. Elle change facilement de camp.

Voici donc les différents types de filles que tu risques de rencontrer sur la corde raide de la vie. Il en existe bien d'autres, beaucoup trop nombreux pour entrer dans le cadre de ce livre. En fait, il faudrait y consacrer une encyclopédie en quarante-huit volumes.

Même si les types de filles sont aussi nombreux que les cheveux qui poussent sur ta tête[1], quelques conseils t'aideront certainement à faire face aux filles et à lutter à armes égales contre elles. Je te convie donc à lire très attentivement les pages qui suivent. Attends-toi à des surprises.

---

1. A condition de ne pas être chauve.

Les filles de A à Z......

Tu remarqueras que cette section du livre traite abondamment des relations avec les filles maintenant que tu t'intéresses à elles après les avoir ignorées, voire détestées pendant de longues années. Durant cette période, les seuls êtres féminins à te gâcher la vie sont ta mère (qui assume son rôle de parent et fait simplement ce qu'elle considère comme son devoir) et tes professeurs féminins (qui ressemblent très fort aux parents, à la différence qu'elles portent un cache-poussière et qu'elles ont des chaussures recouvertes d'une épaisse couche de craie). Il n'est alors guère surprenant de constater, au moment où tes hormones se réveillent pour te dire qu'il est temps de t'intéresser aux filles, que tu es à peine équipé pour faire face à celles-ci. Ce chapitre vise à pallier ce manque de préparation.

La méthode préconisée pour traverser le véritable champ de mines que constituent les relations avec les filles est peut-être de fournir un guide complet de A à Z. Ou peut-être pas. Mais, quoi qu'il en soit, c'est cette méthode que j'ai choisi d'utiliser.

Tu remarqueras que le classement alphabétique est très facile à consulter. Ah, j'ai vraiment pensé à tout. Il se peut cependant que j'aie oublié des questions importantes. Si tu constates des omissions, tu devras combler ces lacunes en te fondant sur ta propre expérience. Bonne chance.

Acné

Il est désolant de constater que tous les garçons se réveillent un beau matin avec le visage recouvert de boutons. L'invasion est plus ou moins importante. Les uns n'auront que quelques petits boutons disséminés sur le visage, alors que d'autres ressembleront davantage à la face cachée de la lune.

L'acné serait nettement plus facile à supporter si elle survenait au moment où les garçons ne s'intéressent pas encore aux filles. Mais les dieux sont contre nous. En règle générale, l'acné se déclare le lendemain du jour où un garçon s'est rendu compte qu'il y a des choses plus importantes dans la vie que le foot. Durant toute la période où un garçon déteste les filles, il a le visage lisse comme les fesses d'un bébé. Dès lors qu'il commence à s'intéresser aux filles, il a toutes les chances de décrocher le premier rôle dans *Terminator II*. Et il n'y a aucune solution à ce problème. C'est un des grands mystères de la vie. Il faudra que tu t'en accommodes avec ou sans grimaces. Si tu ne peux t'empêcher de grimacer, évite quand même de forcer, car tu risquerais de faire éclater tes boutons, ce qui ne serait pas sans danger pour l'environnement. Il est peu réconfortant de savoir que les filles ont également des problèmes d'acné, car elles sont généralement moins atteintes que nous. Mais c'est toujours le cas, n'est-ce pas? Tu me demandes quel est le remède le plus efficace? Porter un masque.

TRAITEMENTS CONTRE L'ACNÉ

Billet doux

Tu te dis certainement : «J'en ai déjà. Pour prendre le train». Mais si telle est ta réaction, tu es encore à mille lieues de comprendre les filles. Je ne me réfère pas à un titre de transport, même à prix réduit, mais bien au moyen utilisé par des représentants du sexe fort pour faire part de leurs sentiments aux représentantes du sexe faible et vice versa. Le genre de missive que les hommes n'envoient pas aux filles qui portent des lunettes, etc.

Comment faire part de cette attraction mutuelle? Les filles, je dois le dire, utilisent invariablement la technique du billet doux adhésif (nous y reviendrons plus tard). Elles recyclent un billet doux qu'elles tiennent d'une amie. Si les êtres humains utilisent des billets doux, les babouins exhibent leur cul rouge pour communiquer. Mais le principe reste le même. Voici comment il fonctionne.

La fille A persuade la fille B (généralement sa meilleure copine) d'écrire un mot au garçon de ses rêves et de le coller sur son pupitre. Toi, l'objet de son affection (eh oui, on finit toujours par être l'objet de l'affection de quelqu'un), tu lis la note, qui est généralement anonyme, même s'il arrive fréquemment que la meilleure copine la signe. Élémentaire, non?

VOYAGE ALLER DU BILLET DOUX

Pourquoi les garçons ne recourent-ils pas à ce mode de communication? Eh bien, parce qu'il est trop simple. Nous savons que les choses simples tournent mal en moins de temps qu'il ne faut pour le dire. Et nous le savons parce que nous sommes des hommes et parce que nous sommes nettement plus intelligents que la moyenne des filles (du moins, nous aimerions le croire).

De toute façon, nous ne confions pas nos sales besognes à autrui. Lorsque nous apprécions une fille, nous préférons le lui dire personnellement et subtilement sans que la moitié de l'école soit mise au courant. Au cas où les choses tourneraient mal. Nous entrons alors dans le jeu subtil des clins d'œil, des regards complices et des coups de coude discrets. Notre tactique finira par marcher. La fille ne tardera pas à se rendre compte de nos intentions. Et même si elle décline l'invitation, nous restons persuadés que nous avons bien fait de déclarer notre flamme. Bien sûr, si elle vient nous rendre visite, nous savons que nous avons eu raison. Si elle ne vient pas, tant pis pour elle. Une de perdue, dix de retrouvées.

Boum

Traditionnellement, le meilleur endroit pour rencontrer des filles. En supposant que tu puisses passer le cap du professeur-sorteur (le jour, il est le sympathique professeur de français; la nuit, il se transforme en Conan le Barbare) et que tu ne voies aucun inconvénient à boire les rafraîchissements vendus à l'école (que l'homme de peine utilise pour décaper la peinture durant les vacances scolaires). La boum est également l'endroit où tu pourras danser avec une fille, à condition que tu acceptes de danser en même temps avec ses cinq copines accompagnées de leur sac à main. Par contre, la boum est loin d'être le lieu idéal pour entreprendre une conversation, à moins que tu n'aies une voix comme une corne de brume et l'ouïe d'une chauve-souris sud-américaine. Tu aurais davantage de chances de rencontrer une fille sympa chez le dentiste.

Braguette
J'ai lu quelque part que la braguette avait été inventée par un certain Lord Mountbatten, ce qui tend à prouver que les membres de la famille royale anglaise ne savent pas quoi inventer pour passer leur temps. Je ne prétends pas que la braguette soit une mauvaise chose en soi. En fait, elle mène une existence assez marginale et sa logique est assez difficile à cerner, ce qui me pousse à croire qu'elle a été inventée par une femme. Tu te demandes ce qui m'incite à faire une telle affirmation? La réponse devient évidente si nous analysons la situation suivante.

Tu as enfin réussi à décrocher ce rendez-vous. Malheureusement, tu l'as prévu le même soir que ta réunion mensuelle chez les scouts. Pas de problème. Les scouts finissent à huit heures, ton rancard est à huit heures trente. Le seul problème est qu'elle ne sait pas que tu es chez les scouts. Maintenant, il n'y a rien de mal à faire partie des scouts, mais certaines personnes ont tendance à considérer que c'est un peu comme les petits trains. Mieux vaut ne pas trop s'en vanter. Bien évidemment, tu as emporté de quoi te changer. Tu disposes d'une demi-heure pour troquer ta culotte courte contre un jean délavé. Tu devines déjà ce qui arrive. La braguette se coince et ta culotte de scout te dit : «Vas-y, n'aie pas honte, avoue-lui que tu es scout».

Il peut te paraître injuste d'incriminer les filles dans ce cas-ci. Considérant qu'une braguette ne se coince jamais, sauf lorsqu'on a un rancard avec une nana, je ne peux pas me décider à croire qu'il s'agit là d'une simple coïncidence. Non. Je parie que les ongles de la main maléfique qui commande ce genre de situations embarrassantes sont recouverts d'une couche de vernis rouge!

Cadeaux

À un moment ou à un autre de leur vie, tous les jeunes gens ressentent le besoin irrépressible d'offrir des cadeaux à une représentante de la gent féminine. Ce phénomène s'observe dès la prime enfance avec une boîte de pâtes de fruits offerte à l'occasion de la fête des Mères. En fait, l'enfant ne l'achète pas personnellement, il est en quelque sorte le complice de son père. Mais, aux yeux de la loi, les complices sont tout aussi punissables que les auteurs du délit. Offrir un cadeau à sa mère est considéré comme une B.A. Par contre, rien n'est plus normal que d'oublier l'anniversaire de son père. Même le choix des cadeaux est révélateur. A la Noël, par exemple, les mères reçoivent du parfum, des fleurs ou d'autres jolis cadeaux. Les pères reçoivent invariablement des chaussettes. Il ne viendrait jamais à l'idée d'un homme d'offrir une paire de chaussettes à une femme. A moins qu'elle n'ait constamment les pieds glacés. (Si c'est l'homme qui a toujours froid aux pieds, il achète généralement quelque chose de très cher à sa femme. Tu comprendras pourquoi une fois que tu seras marié.)

Même si l'on ne s'en rend pas forcément compte, offrir des cadeaux est une tradition qui se transmet de génération en génération. Cette tradition fait partie de la culture humaine. Il n'est dès lors guère surprenant que, dès l'instant où tu craques pour une fille, une petite voix intérieure te dicte de lui acheter un cadeau. Malheureusement, cette petite voix intérieure oublie complètement de te préciser quel cadeau il convient d'offrir. Le choix du cadeau constitue un réel problème.

Le truc consiste à offrir des cadeaux adaptés à la situation. Voici quelques suggestions.

Au cinéma : cadeau recommandé : sucreries ou chocolats, à la condition expresse qu'ils ne soient pas emballés individuellement et qu'ils ne collent pas. En effet, il n'y a rien de plus ennuyeux que de rater la scène principale du film parce qu'on ne parvient pas à décoller les bonbons de l'emballage. De plus, il n'est pas vraiment amusant de tenir une main féminine engluée de chocolat fondu. Si tu veux lui acheter des chocolats, assure-toi qu'elle ne soit pas au régime. Cadeau déconseillé : un bouquet de fleurs. En effet, qu'en fera-t-elle pendant le film?

Chez elle : tu es invité chez elle (sois très prudent dans ce cas, car la situation pourrait être beaucoup plus grave que tu ne le supposes). Le cadeau doit être important. Cadeau recommandé : un bouquet de fleurs, mais à condition d'être certain qu'elle ne souffre pas d'une allergie quelconque ou du rhume des foins. Ce serait quand même très gênant si elle passait la soirée à tousser, à éternuer et à cracher sur tes plus beaux vêtements. Mais les fleurs sont très efficaces pour impressionner les parents de ta dulcinée. De plus, ce cadeau présente l'avantage de pouvoir servir à tout le monde. Il te permettra d'éviter toute dépense inutile.

Cadeau déconseillé : une revue sur le catch. Ce cadeau pourrait donner aux parents une mauvaise idée (même si tu estimes personnellement qu'elle est excellente) quant à tes intentions au cas où ils te laisseraient seul avec leur fille durant quelques instants.

Au restaurant : excellent cadeau : une seule rose. Mais n'enlève pas le prix, de sorte que le serveur ne te soupçonne pas d'avoir piqué une rose dans le vase qui orne la table. Cadeau déconseillé : tout ce qui se mange, car cela risquerait de lui gâcher l'appétit. Quoique si elle a un appétit gargantuesque, un pain découpé en fines tranches te permettra de faire des économies substantielles. Observe attentivement ses mœurs alimentaires avant d'entrer au restaurant. Il suffit d'examiner le contenu de son pupitre durant la récréation. Si le couvercle est rongé ou carrément entamé, tu sauras à quoi t'attendre.

En boîte (au dancing) : cadeau fortement recommandé : un parfum. Une petite goutte de parfum avant un slow ou après un rock n'a jamais fait de mal à personne. Entendons-nous bien sur le sens du mot parfum : il ne s'agit nullement d'un flacon de déodorant intime.

Cadeau à proscrire : un sac de billes. Non pas que l'idée soit mauvaise, mais dans le contexte d'une soirée en boîte, l'idée paraîtra originale, voire suspecte. De plus, si la fille laisse tomber les billes, elle risque de provoquer une hécatombe sur la piste.

Terminons par une dernière remarque sur les cadeaux : ne t'attends jamais à recevoir la moindre chose en retour. Les filles n'ont pas l'habitude d'offrir des cadeaux. En vertu de ce qui s'appelle l'égalité des sexes.

Un proverbe affirme que le diamant est le meilleur ami de la femme. Essaie de voir si ce proverbe s'applique également à ta nana, car je suis persuadé que tu n'as aucune envie de sortir avec une fille qui risque de te ruiner. (À cet égard, je te conseille de lire discrètement l'article intitulé *NON* dans la moitié du livre destinée aux filles.)

Calme

Quelle extraordinaire sensation! Personne ne vient se quereller avec toi, personne ne vient envahir ton espace vital. Si tu as un frère, tu sais certainement que les moments de quiétude entre les bagarres sont très appréciés par les deux combattants. Ton frangin le comprend également. C'est normal, vu qu'il est également un garçon. Un beau jour, ta mère vient vous annoncer la naissance prochaine d'une petite sœur. Le calme devient alors une notion complètement abstraite. Observe le mot «calme». Touche-le. Quelle sensation extraordinaire! Dis-lui adieu.

Chouette

C'est le meilleur mot pour tuer une conversation. Les filles l'utilisent constamment. Il est difficile de dire si elles le font exprès ou non. J'ai tendance à croire qu'elles le font intentionnellement. Tu dois savoir que les filles sont nettement plus sournoises qu'il n'y paraît. Après tout, il est impossible d'être stupide à ce point en permanence. (Je ne fais que plaisanter, les filles. À propos, vous n'avez rien perdu dans cette moitié du livre. Retournez vite à la partie qui vous concerne.) Mais à quoi peut bien servir cette sournoiserie? À rien, probablement.

Tu ne tarderas pas à comprendre que cette démarche est typiquement féminine. Non seulement leurs actes mais également leurs paroles n'ont aucune explication rationnelle, voire logique. Ce phénomène s'appelle la mystique féminine. La plupart des garçons sont tellement ouverts qu'on peut lire dans leurs sentiments et dans leurs pensées comme dans un livre (destiné aux lecteurs débutants). Alors que la mentalité des filles est plus complexe que l'intrigue de *Twin Peaks*.

Cool

Oh oui, tu les as certainement déjà vus, n'est-ce pas? Tu les connais, ces gars qui sont persuadés d'être cool. Sans parler des filles qui pensent être cool. Sans parler des filles qui pensent que les garçons qui sont persuadés d'être cool sont vraiment cool, ou même des gars qui sont persuadés que les filles qui pensent qu'elles sont cool le sont également. Tu me suis? Non? C'est normal. Parce que l'adjectif «cool» ne veut strictement rien dire. Non, honnêtement. C'est une notion complètement artificielle, probablement inventée par un journaliste en mal d'inspiration qui s'est contenté d'emprunter un mot anglais dont le sens n'est pas plus explicite en anglais. Le même phénomène s'observe pour l'adjectif «génial».

Faut pas pousser bobonne dans les bégonias! Parce que, même si le terme n'a strictement aucun sens, tu essaies de convaincre les gens qui croient que tu n'es pas cool que tu l'es quand même. C'est un réel problème. Il se complique encore lorsqu'on sait que tout le monde n'interprète pas cet adjectif dans le même sens. Si une fille t'assure n'aimer que les armoires à glace et que tu es plutôt du genre à porter les cheveux sur les chaussures, tu sais à quoi t'en tenir. Tu n'as vraiment aucune chance de sortir avec elle. Mais si elle assure qu'elle aime les gars cool, comment savoir ce qu'elle entend par là? Impossible de le lui demander et donc de le savoir. Tu peux éventuellement essayer d'emprunter un air faussement cool et lui lancer un truc du genre : «La Côte d'Azur est vraiment cool, n'est-ce pas». Si tu fais les mêmes remarques sur la nourriture, le cinéma, la mode, tu auras vite fait de comprendre le sens qu'elle donne à l'adjectif cool, qui, soit dit en passant, s'utilise davantage comme attribut que comme épithète. En fait, il s'agit d'être original. Qui sait, les filles considèrent peut-être qu'être cool, c'est faire preuve d'imagination, d'originalité et de fantaisie.

Embrasser

Voilà un moment particulièrement stressant. Les questions fusent dans ton esprit : «Vais-je l'embrasser?» «Ne devrais-je pas attendre un peu?» «Tant pis, je me lance. Tout compte fait, non, j'attends... demain.» «Que pensera-t-elle de moi?» En fait, tout dépend d'elle : a-t-elle ou n'a-t-elle pas envie de se faire embrasser?

Au cinéma, la scène du baiser semble particulièrement simple. Les regards se fondent et s'embrument, la musique est d'un romantisme absolu : les amants s'embrassent sans se heurter le nez, ce qui est un art en soi. Mais, dans la vie, les choses sont très différentes. Tu as beau tendre l'oreille, tu n'entends pas la musique. Sauf si tu te trouves dans une discothèque, mais tu n'entends plus que cela. Est-ce le moment, est-ce l'instant? Je n'en suis pas certain. En fait, c'est à toi de trouver l'instant propice. Mais attention! Ton visage s'approche du sien, tu aperçois son regard distant. N'aurait-elle pas oublié de mettre ses lentilles?

Excès d'enthousiasme

Dans les relations avec le sexe opposé, l'excès d'enthousiasme est un très mauvais conseiller. Il ne sert strictement à rien. Tu dois pouvoir garder tes distances, et plus particulièrement, dans ce qu'on appelle plaisamment les affaires de cœur. Les filles détestent les garçons qui se précipitent sur elles. Il importe de rester cool, de garder la tête froide.

COMBIEN D'ENFANTS AURONS-NOUS, CROIS-TU?

Ex-petite amie

On entend par là toute jeune fille qui fut un jour (une semaine, un mois) l'objet de ton amour, mais qui a cessé de l'être. (Je ne me réfère pas à l'adorable petite puce de six ans dont tu es tombé désespérément amoureux au bal de la crèche, mais bien à toutes celles que tu as larguées.) Même si cela risque de froisser ton amour-propre, tu dois savoir que les filles supportent nettement mieux la condition d'ex que les garçons. Je sais que tu rêves secrètement de laisser une meute de cœurs brisés dans ton sillage. Mais tu apprendras vite que cette situation est tout à fait exceptionnelle. Tu vois, les garçons s'intéressent davantage aux filles que les filles aux garçons. Et, malgré tout, elles sont très difficiles quand il s'agit de se choisir un petit ami. Si tu es sous le coup d'une déception amoureuse, cette constatation sera d'un grand réconfort.

Flirt

Les dictionnaires nous apprennent que ce terme s'applique à des relations amoureuses sans sentiments profonds. Il ne faut donc pas prendre le flirt trop au sérieux. Sachant que les filles adorent flirter, tu devras être à même de faire la distinction entre le flirt et l'amour fou, sans quoi tu risques d'y laisser une mare de larmes. Si les filles de la classe (de l'école, de l'univers) apprennent que tu t'es planté et que tu as confondu un flirt anodin et l'amour avec un grand A (si tant est qu'il existe), tu seras la risée de tous tes contemporains. D'autre part, tu peux certainement t'imaginer ce qui se passerait si les garçons de ta classe apprenaient que tu as baratiné Carole Legrand et qu'elle a repoussé tes avances.

Il faut donc être en mesure de faire cette distinction élémentaire. Mais comment? Ne me demande pas de répondre à cette question. Le gros problème est que les filles de l'école sont des *femmes* recouvertes de taches d'encre. Et les *femmes* se réservent le droit exclusif de changer d'avis. Et c'est précisément parce que ce droit est exclusif que les garçons n'ont pas le droit de changer d'avis. En définitive, rien ne t'empêche de changer d'avis, sauf si tu tiens à la vie. Si tu suspectes une fille de vouloir flirter avec toi, la meilleure solution consiste probablement à te cacher dans ton pupitre et de demander à ton meilleur pote d'en clouer le couvercle. Il faut bien que les potes servent à quelque chose, n'est-ce pas?

Frères

Je t'entends déjà marmonner : «Mais que viennent faire les frères dans cette partie du livre? Je croyais qu'elle était censée nous donner des conseils pour faire face aux filles? Que viennent faire les frères dans cette galère?» Je vais te l'expliquer.

Imagine la scène suivante : tu es installé dans le canapé

en compagnie de la fille de tes rêves ou plus précisément de la fille qui hante tes rêves de cette semaine. Tu as pris soin de tamiser la lumière et tu as réussi à faire gober à ta conquête que les néons avaient sauté au moment où tu étais venu lui ouvrir la porte. La chaîne hi-fi diffuse inlassablement de la musique romantique (le C.D. est rayé ou encrassé). Le moment est venu de faire le premier pas. Tu as décidé de lui prendre la main. Le malheur est que la tienne est bloquée derrière le canapé où tu l'avais mise au moment où tu avais envisagé de prendre ta conquête par la taille avant de changer d'avis à la dernière minute. Après avoir réussi à la débloquer (ta main), tu ressens une crampe épouvantable que tu tentes de faire disparaître en faisant quelques mouvements. Tu ressembles à un karatéka hystérique. (Je parie que des situations de ce genre n'arrivent jamais à Richard Gere.)

De toute manière, tu ne pourras compter que sur toi-même pour t'en sortir. Tu es confiant. Elle devrait craquer entre ce moment-ci et l'heure de son dernier bus. C'est précisément à cet instant crucial que tu entends le bruit et que perçois l'odeur du petit rapporteur. Eh oui, c'est bien ton petit frère qui s'est caché derrière le canapé. Qui plus est, il s'y trouve depuis le début des opérations. Le comble, c'est qu'il a entendu toute la conversation. Ta meilleure prose. Les mêmes salades qu'il t'a entendu débiter à la fille qui hantait tes rêves la semaine dernière. À cet instant fatidique, il est évident que tout le monde sait que le petit enquiquineur est là. Toute personne dotée d'une ouïe et d'un odorat normaux s'en rend immédiatement compte. Combien de fois tes parents n'ont-ils pas interdit à ton petit frère de manger la pâtée du chien? Le chien ne s'en porte pas bien, et Dieu sait quel effet la nourriture du chien peut avoir sur les êtres humains. (Nous appellerons le petit frère un être humain pour des besoins de pure convention).

Que faire dès lors? En temps normal, rien ne vaut une bonne séance de torture pour se débarrasser des petits frères encombrants. Mais tu ne peux pas te livrer à de telles exactions devant elle. Tu sais qu'elle s'évanouit à la vue de la moindre goutte de sang.

Comment assumer cette situation? La réponse est simple. C'est impossible. La prochaine fois que tu inviteras une nana chez toi, tu penseras à faire renifler les moindres recoins du salon par des chiens policiers.

Haine

L'amour est proche de la haine. Te souviens-tu de la chanson : «Elle avait de tout petits...», non, excuse-moi, je me trompe. «Elle court, elle court la maladie...»

C'est vrai que l'on n'écrit plus de telles chansons de nos jours, Dieu merci. Mais il n'en demeure pas moins que l'amour et la haine sont des sentiments très proches. Il suffit de regarder le cahier de Mélanie Duchemin pour savoir que je ne raconte pas de sornettes. Observe les notes : Mélanie aime/déteste/aime/déteste/aime Patrick Bruel. Attention, je pense savoir ce qu'elle ressent à son égard. Du moins, je pense comprendre sa haine. Mais sois prudent : au moment où tu t'imagines que la fille de tes rêves t'aime à en mourir, il se peut également qu'elle te déteste avec le même enthousiasme.

Humour

Les hommes ne regardent pas les femmes qui… Tu connais la rengaine. Mais il est établi que les filles flashent sur les garçons qui ont le sens de l'humour. Les femmes également. À l'exception des toutes jeunes filles, qui les prendront certainement pour des débiles mentaux (la même remarque s'applique aux frangines en bas âge). Ne nous soucions pas de ces petites pestes et concentrons-nous sur leurs grandes sœurs. Avant de te précipiter chez le libraire pour acheter le dernier recueil de blagues belges (qui sont généralement dépourvues de tout humour), tu dois savoir que les filles ne craquent pas pour les garçons doués pour raconter des histoires drôles. Elles ne réagissent qu'au sens de l'humour, ce qui est fondamentalement différent. Le sens de l'humour, on l'a ou on ne l'a pas. Si tu ne l'as pas, je suis désolé de te dire qu'il n'y a rien à faire. Mais je te vois déjà ricaner en pensant : «J'ai parfaitement le sens de l'humour. Je n'ai qu'à entrer en classe pour que toutes les filles éclatent de rire». Pose-toi la question de savoir si elles se marrent ou si elles se moquent de toi.

A propos, ne demande jamais à une fille de te raconter une histoire drôle. Elles n'en connaissent pas une seule. (Lis l'article consacré aux blagues dans la seconde partie du livre.)

SI TU RETOURNES CE LIVRE JE T'EN COLLE UNE !

Intelligence

Si tu désires impressionner une nana, pour une raison que tu es vraiment le seul à connaître, il y a mieux à faire que de jouer à l'intello. Parce que, si tu étais vraiment intelligent, tu aurais vite fait de comprendre que tu es en train de perdre ton temps. Mais supposons que tu sois à la fois intelligent et attiré par les filles, ce qui peut se concevoir. La meilleure situation consiste à ne pas s'en vanter (de ton intelligence, non pas des filles).

Parce que personne n'aime les bêcheurs, et surtout pas les donzelles. Elles détestent cordialement ceux qui paraissent plus intelligents qu'elles.

Mais un minimum de connaissances est requis, par exemple pour alimenter la conversation, lors d'un rancard ou au restaurant, lorsque tu dois attendre le plat de consistance durant plus de six heures (ce qui n'a rien d'extraordinaire, sauf si tu as commandé un repas chaud. Dans ce cas, l'attente peut se prolonger durant plusieurs jours). Choisis attentivement le sujet de conversation. Même si le thème est élémentaire, il faut savoir lui donner une tournure intéressante. La météo n'est guère un sujet intéressant. Il est probable qu'elle a également remarqué qu'il pleut depuis deux jours, surtout si tu as eu la lumineuse idée de t'installer à une terrasse de café. Le secret consiste à parler intelligemment de sujets auxquels tu sais qu'elle s'intéresse. Mais si tu as l'intention de la larguer, entame la conversation en lui parlant de ta passion pour les trains en général et pour le T.G.V. en particulier.

Jalousie

Rien n'est plus dévorant que la jalousie, si ce n'est le brontosaure. Évidemment, il faut prendre le terme dévorant au sens figuré. De plus, il n'y a rien à craindre du brontosaure, car il y a longtemps que les dinosaures ont disparu de la surface de la Terre.

La jalousie risque de mettre une fin précoce à une relation amoureuse. Toutes les relations affectives, qu'il s'agisse d'une simple amitié ou d'un amour profond (s'il existe) doivent être entretenues. Celui qui envie l'amitié des autres détruit ses propres relations d'amitié.

Si tu passes la journée à dire : «Mince alors. David est assis à côté de Mélanie. Je parie qu'il sort avec elle». (Même si l'expérience t'apprendra qu'il est souvent préférable de s'asseoir à côté de la fille de tes rêves plutôt que de sortir avec elle, d'une part parce que cela revient moins cher, et, d'autre part, parce que tu peux le faire plus souvent.) Si tu es jaloux de David, il se peut également que ce soit lui qui pense que tu es le veinard qui a l'immense bonheur de sortir avec Samantha Pompavéleau. En fait, il ne le pense peut-être pas, mais il pourrait le penser. De plus, il porte des lunettes dont les verres sont aussi épais que des culs de bouteilles.

Jalousie (bis)

Mon jeune ami! Si j'insiste à ce point sur la jalousie, c'est parce qu'elle a provoqué des dégâts considérables. Imagine la situation suivante : tu te sens étrangement attiré par cette fille de ta classe/ton école/ton mouvement de jeunesse/ta section locale des fervents du chemin de fer. Appelons-la Anne-Laure, si tu veux bien. Tu te sens donc étrangement attiré par Anne-Laure. J'utilise l'adverbe étrangement parce que dix minutes auparavant tu croyais la détester. Désormais, tu es prêt à donner ta vie pour elle. J'exagère peut-être en disant «prêt», mais tu sais déjà que j'aime m'exprimer en termes imagés. Bien. Soudain, tu te sens envahi par une vague de jalousie à l'encontre de tous ceux qui s'approchent d'elle. Tu considères tous les autres comme des ennemis potentiels, même tes amis, qui s'évertuent à t'expliquer que tu dois arrêter de te ridiculiser en sortant avec cette gonzesse.

Tu te poses des questions déraisonnables : «Pourquoi me dit-il cela?» La réponse te vient immédiatement à l'esprit : «Je parie qu'il la veut également». Même lorsqu'une mouche se pose délicatement sur le lobe de son oreille, tu te demandes ce qu'elle peut bien lui raconter. En fait, il arrive fréquemment que des mouches se posent sur ses oreilles, mais, comme l'amour rend aveugle, tu ne t'en étais pas rendu compte.

Je suppose que tu auras compris que la jalousie est pire que le poison ou l'arsenic. Évite donc d'être jaloux. Certains gars placent leur nana sur un piédestal, ce qui ennuie beaucoup les garçons de petite taille qui veulent lui adresser la parole. Si tu désires ne pas compromettre les excellentes relations affectives que tu entretiens avec l'élue de ton cœur, je te conseille vivement de ranger ta jalousie au placard.

Larguer et être largué

Se faire larguer est une des expériences les plus cruelles qui puissent t'arriver. La personne larguée s'entend dire qu'elle ne fait plus partie du voyage. Elle subit le même sort que la vieille valise qu'on n'emmène plus en vacances et qui termine sa vie dans un recoin poussiéreux du grenier. D'autre part, se faire plaquer est parfois une bénédiction du ciel. Il se peut que tu aies envisagé de larguer la fille qui hante tes rêves (de cette semaine). Lorsque tu te décides à lui parler, elle te répond qu'elle t'a déjà débarqué de sa vie. Le philosophe dirait : «Tant mieux, au moins je n'aurai pas besoin de faire toute une mise en scène pour la plaquer». Mais, non. Comment réagissons-nous? Nous nous froissons.

«Comment a-t-elle osé me faire une chose pareille? Pour qui se prend-elle?»

En fait, elle sait probablement mieux que quiconque qui elle est, mais en fait c'est toi qu'elle avait pris pour un autre. Supposons un instant que tu saches qu'elle n'a aucune intention de te larguer. Dans ce cas, les rôles sont inversés. Elle est déterminée à passer sa vie à tes côtés, même si tu n'as que douze ans et que tu n'as ni l'envie, ni l'ambition, ni la moindre chance d'obtenir le moindre diplôme. Des milliers de signes t'indiquent qu'elle a l'intention de s'accrocher éternellement à tes basques : elle ralentit le pas devant les magasins de décoration intérieure, elle n'arrête pas d'écrire vos deux noms précédés de monsieur et de madame et elle se fait tatouer ton prénom sur le front.

Comment la larguer sans provoquer de drame? Fais-toi porter disparu et abandonne une pile de vêtements sur une plage des Landes. Change de nom et deviens le baron de Meyan. Habille-toi en fille. Quoi? Toutes ces méthodes sont envisageables, faciles et bon marché. La solution la plus simple consiste à réfléchir à ce qu'elle ferait à ta place et de le faire avant elle.

Et que ferait-elle à ta place? Il faut bien avouer que les filles sont nettement plus douées que les garçons pour affronter des situations de ce genre. Elles savent que les sentiments évoluent, que rien n'est éternel et qu'à certaines périodes de la vie il faut savoir faire preuve de maturité. Que ferait-elle donc si elle envisageait de te plaquer? La réponse est élémentaire. Elle t'enverrait sa meilleure copine. (À ce propos, je te conseille de parcourir discrètement l'article *Rancard* dans l'autre moitié du livre pour comprendre la stratégie qu'elle utilisera). Du moins, si tu crois que tu peux accorder quelque crédit aux conseils prodigués par une femme.

Lunettes

On dit que les hommes ne regardent pas les filles qui portent des lunettes. Mais les femmes regardent-elles les hommes qui portent des lunettes? Les hommes qui portent des lunettes regardent-ils les femmes qui portent des lunettes? Les femmes qui portent des lunettes regardent-elles les hommes qui portent des lunettes? Les hommes qui portent des lunettes regardent-ils les femmes qui portent des lunettes mais qui ne les regardent pas et inversement? Et qu'en est-il des verres de contact? Tu vois que la vie est faite de complications et que les lunettes ne constituent pas une exception à cette règle. Mais les lunettes n'ont plus l'effet dissuasif qu'elles avaient autrefois. Il faut dire que les lunettes actuelles sont jolies. Il y en a même qui sont franchement «cool».

Macho

Arnold Schwarzenegger l'est. Vandamme l'est. Stallone l'est, dans une moindre mesure, étant donné sa taille. Mais qu'est-ce qu'un macho? Une qualité propre aux mâles. Une qualité dont on nous dit qu'elle fait rêver les filles et les garçons. Le garçon qui souhaite être un macho sait que les machos attirent les filles. Mais le macho attire-t-il toutes les filles? Où est-ce simplement une rumeur lancée par quelques anciens philatélistes reconvertis à l'haltérophilie qui ne savent plus que faire de leur collection de timbres. Quoi qu'il en soit, je puis t'affirmer que le sens de l'humour et le machisme sont des qualités qui ne se cultivent pas, qui ne se développent pas comme la musculature. Ces qualités sont innées. Évidemment, tu peux développer ta musculature, mais, si tu n'es pas macho, tu ressembleras davantage à un ver de terre à gros bras. Mais ne t'inquiète pas. Tu finiras toujours par trouver une fille, qui t'aimera pour ce que tu es... si du moins tu es patient.

Mariage

On dit que le mariage est l'événement qui compte le plus dans la vie d'une jeune fille. On sait moins qu'il s'agit également d'un événement majeur dans la vie d'un garçon. Du moins, il devrait l'être. Après tout, celui-ci se marie avec la fille de ses rêves. Mais si tu observes bien les mariages, tu remarques que les garçons donnent toujours l'impression d'être assez désemparés. Regarde bien cet attroupement de cousins dont tu ne soupçonnais même pas l'existence. Ils se demandent qui sera la prochaine victime.

Une telle attitude suffirait à te dégoûter du mariage pour le reste de tes jours, n'est-ce pas? Surtout si tu es encore jeune et que les filles représentent encore un mystère à tes yeux. Pendant de nombreuses années, tu t'es demandé ce que les filles faisaient sur terre. Maintenant que tu as appris à les apprécier, tous les hommes réunis dans la salle se comportent comme si le mariage était la pire des catastrophes qui pouvait s'abattre sur la tête d'un homme. Pourquoi agissent-ils de la sorte? Par amour. Et c'est la raison pour laquelle tes cousins semblent être désemparés. Parce qu'ils savent qu'un jour, ce sera à leur tour de se présenter devant monsieur le maire.

Mouvement de jeunesse

Les mouvements de jeunesse sont d'excellents endroits pour rencontrer des filles (sauf évidemment les mouvements de jeunesse exclusivement réservés aux garçons, qui sont des endroits détestables pour celui qui cherche à rencontrer des filles). Personne n'y est stressé. Tu peux y discuter avec des filles. Si tu préfères jouer au tennis de table, tu es de la revue, car il n'y a généralement qu'une raquette et que la table est cassée.

Malheureusement, tu y trouveras toujours un petit groupe d'individus (des deux sexes) qui sont venus parce qu'ils s'étaient donné rendez-vous. Tu es également de la revue si tu espérais faire une partie de mah-jong. (Désolé! C'est impossible, car il manque la moitié des plaques, à moins que tu ne voies aucun inconvénient à jouer malgré tout.) Si tu es venu voir les autres filles, tu peux toujours tenter de faire le beau. Mais fais attention. Lorsque plusieurs garçons essaient d'être cool (ce qui est virtuellement impossible, à mon humble avis) ils obtiennent l'effet inverse de l'effet escompté. Un homme averti en vaut deux.

Musique

La musique joue un rôle prépondérant dans la vie quotidienne. Ce n'est pas uniquement une source de joie. Elle nous donne également des modèles à imiter. Je ne me réfère pas aux stars elles-mêmes. Je pense simplement aux images véhiculées par les chansons.
Les Beatles ont chanté : «Elle venait d'avoir dix-sept ans, elle ne ressemblait à aucune autre». As-tu déjà vu une fille pareille, même en te servant de ton télescope? S'ils avaient été un peu plus réalistes, les Beatles auraient chanté : «Elle ne ressemblait à aucune autre, car elle avait des poils horribles dans le nez».
Ces images tronquées font surgir les rêves les plus fous chez les jules potentiels. La même remarque s'applique aux garçons décrits dans les chansons. Les femmes se jettent à leurs pieds. Embrasser les filles ne leur suffit pas, ils veulent davantage. Les paroliers n'écrivent jamais : «Il souleva la fille dans ses bras, son cœur battait la chamade, et sa perruque se détacha au moment où il retira son chapeau». Ils ne disent pas que ce type était un mec génial, si l'on excepte ses problèmes personnels. L'héroïne de la chanson n'oublie jamais ses rendez-vous. De plus, elle se lave les cheveux avant de s'y rendre. Les paroliers sont donc responsables des nombreuses idées fausses qu'ils véhiculent.

Romantisme

Certaines personnes te diront que le romantisme est mort. C'est faux. Il ne fait qu'hiberner.

On pense généralement que les femmes sont plus romantiques que les hommes. Mais le sont-elles vraiment? Pense à la chose la plus romantique que tu aies faite, et ensuite à la chose la plus romantique qu'une fille ait faite. Eh oui. Nous devons l'admettre. Elles sont plus romantiques.

Mais les garçons ne sont pas censés être des romantiques, n'est-ce pas? Si nous commencions à adopter des attitudes ou des discours romantiques, nos copains et nos parents croiraient que nous sommes devenus fous. La réponse est simple : si tu ressens le besoin d'être romantique à l'égard d'une fille mais que tu crains que cette attitude ne puisse nuire à ton image de marque, je te recommande de donner libre cours à ton imagination mais d'éviter que cela se sache. Comme personne ne le saura, cela ne servira strictement à rien.

Sœurs

Si incroyable que cela puisse paraître, les petites sœurs ne sont que des femmes de petite taille recouvertes d'une épaisse couche de confiture. Elles finiront par grandir, en supposant qu'elles réussissent à survivre aux nombreux guets-apens que tu leur auras tendus. Tu verras que je dis vrai. Si tu as une grande sœur, tu sais que je ne mens pas.

Les sœurs sont parfois une bénédiction du ciel, parfois un véritable malheur. Prenons un exemple et supposons que tu aies deux sœurs : l'aînée a deux ans de plus que toi, la cadette, deux ans de moins. (Je me rends bien compte qu'il s'agit d'un scénario catastrophe. Je te rappelle qu'il s'agit uniquement d'un exemple, ce qui, je l'espère, t'empêchera de faire des cauchemars.)

Durant ta tendre enfance, ces sœurs se liguent pour comploter contre ta personne. Elles font de ta vie un véritable enfer. Et comme si cela ne suffisait pas encore, elles s'attaquent également à tes copains. Elles n'y peuvent rien, elles sont comme ça. Il faut se rendre à l'évidence : ce ne sont pas des êtres faits de sucre et de miel. Un beau jour, et malgré une forte résistance de ta part (et malgré l'avis du médecin), tu commences à t'intéresser aux filles. Tes sœurs resteront éternellement laides. Elles n'y peuvent rien, c'est leur destin. Mais, si incroyable que cela puisse paraître, leurs copines paraissent terriblement attrayantes. Est-ce une illusion d'optique? Non. Elles sont vraiment très belles. De plus, elles savent que tu l'as remarqué. C'est formidable. C'est la bénédiction du ciel. Le malheur est que tes sœurs l'ont également remarqué. Vont-elles un jour te permettre de l'oublier? Jamais.

61

Taquineries

La taquinerie peut revêtir plusieurs formes. La première est la résultante directe de la situation décrite ci-dessus. Tes sœurs n'arrêteront pas de te harceler parce que tu as le malheur de trouver que leurs copines sont splendides. Mais il y a pire. Ce sont les taquineries dont est victime le premier garçon d'une bande lorsqu'il commence à s'intéresser aux filles. Jusqu'à ce moment-là, tous les gars de la bande s'accordaient pour dire que toutes les filles sentaient mauvais. Ils en sont tous convaincus, même si aucun d'entre eux ne s'est approché à moins de cent mètres d'une fille. Soudain et généralement du jour au lendemain, les garçons se rendent compte que les filles ne sentent pas mauvais et qu'il y en a même qui sentent franchement bon. Ils commencent même à croire que les filles sont réellement des êtres humains.

Bien sûr, si tous les garçons s'en rendaient compte en même temps, il n'y aurait pas de problème. Mais ce n'est pas le cas. Une fois de plus, Notre Père qui est aux Cieux ne nous a pas gâtés. (On dit que Dieu est un homme, mais tout porte à croire qu'il s'agit d'une fille dissimulée derrière une fausse barbe.) Ne sois jamais le premier de la bande à prendre la défense des filles. Ne le fais jamais en public, car ta dignité en pâtirait. Tu t'exposerais à des taquineries impitoyables. Et, mon petit gars, tu ne sais pas encore à quel point les garçons peuvent être impitoyables.

Vulgarité

Combien de fois n'as-tu pas entendu que telle ou telle chose ne pouvait se dire devant les filles? Je n'attends pas de réponse précise. Mais c'est effectivement ce que disent certains hommes. En fait, on constate une certaine hypocrisie par rapport à la vulgarité. En effet, dès que plusieurs garçons se retrouvent ensemble, ils se mettent à raconter des histoires salaces, mais aussitôt qu'une femme entre dans la pièce, ils s'arrêtent comme par enchantement. Dans ce cas, le principe du «pas devant les dames» s'applique pleinement. En principe, les filles et les femmes n'aiment pas les histoires vulgaires. Et c'est très bien ainsi. Mais des tas d'hommes ont également horreur de la vulgarité. Je me suis laissé dire qu'en matière de vulgarité les filles se débrouillent aussi bien, pour ne pas dire mieux que les hommes, à la condition qu'il n'y ait aucun homme dans les environs. J'aimerais le croire, mais cette affirmation est difficilement vérifiable.

Comment faire face aux garçons

Kara May

Chantecler

Titre original: *Coping with Boys.*
Texte © Kara May, MCMXCII.
Illustrations © Martin Brown, MCMXCII.
Published in arrangement with Scholastic Childrens Books
© Zuidnederlandse Uitgeverij N.V., Aartselaar, Belgique,
MCMXCIV. Tous droits réservés.

Cette édition par: Chantecler, Belgique-France.
Traduction française: Philippe Bracaval.
D-MCMXCIV-0001-221
Imprimé en Belgique.

Avant-propos...

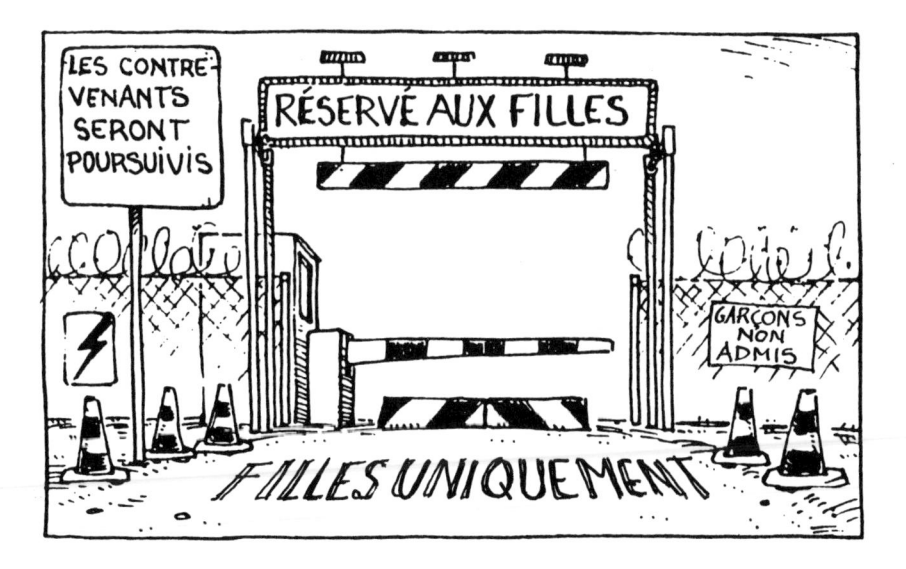

Ce livre traite des garçons et des filles. Il s'adresse aux garçons et aux filles. La première moitié est destinée aux filles, la seconde aux garçons.
Je tiens à signaler aux garçons qu'ils s'approchent de la moitié spécialement réservée aux filles.

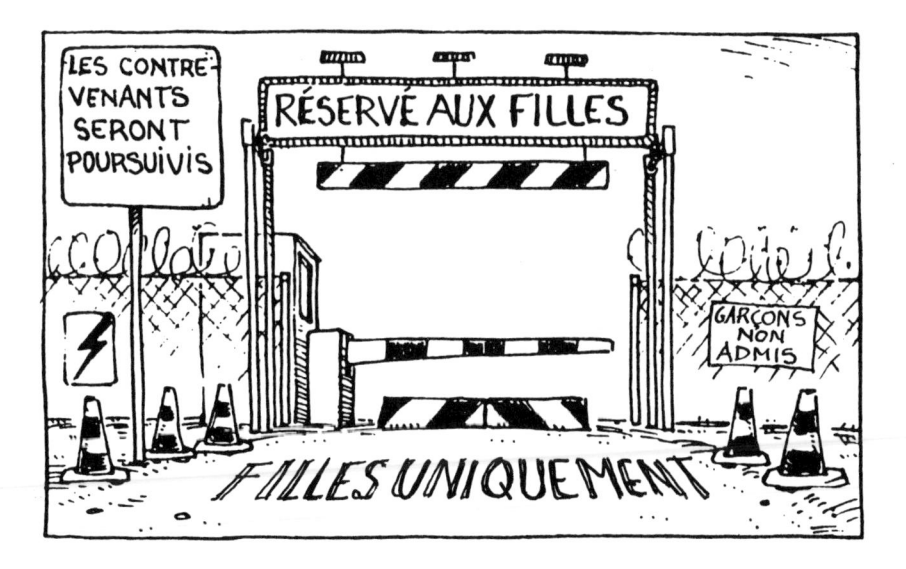

Ça y est, les filles, nous voilà débarrassées des garçons. Nous pouvons désormais nous détendre et parler librement des choses dont nous parlons lorsque les garçons ne laissent pas traîner leurs grandes oreilles dans nos parages[2]. Même si les garçons l'ignorent, ce ne sont ni les devoirs scolaires ni la question de savoir pourquoi les tigres sont tigrés qui figurent au premier rang de nos préoccupations. Ce sont les garçons eux-mêmes. Ils font partie

3

des choses de la vie, en définitive, même s'ils sont source d'exaspérations, d'inquiétudes et d'embarras dont nous pourrions parfaitement nous passer.

Mais si nous pouvions brandir une baguette magique et faire disparaître tous les garçons de la planète, le ferions-nous vraiment?

Je me suis posé cette question des milliers de fois. Je l'ai également posée à des milliers de filles. Le résultat du sondage fut le suivant :

OUI aucune voix.

NON unanimité.

Le résultat est très révélateur. Serions-nous devenues folles? Certainement pas, mais personne n'est parfait.

Depuis la nuit des temps, les garçons ont toujours été opposés aux filles. Le Beau Sexe a toujours été opposé au Sexe Fort. L'histoire n'est qu'une répétition de batailles et de guerres. La Guerre des Sexes continue toujours, ce qui n'est guère surprenant, vu que nous ne souhaitons pas la victoire totale qui se traduirait par la disparition massive des garçons de la surface du globe.

Que faisons-nous? Comment faisons-nous face à ce problème? J'ai passé de nombreuses années à tenter de comprendre la situation.

J'ai commencé par réfléchir à la femme et à la condition féminine dans les différents contextes.

J'ai étudié le passé et j'ai appris que cela faisait vraiment longtemps que les garçons avaient le cou crasseux et les pieds sales et qu'ils étaient de sales bagarreurs.

Mais le passé est mort. Je me suis empressée de l'enterrer avant qu'il ne commence à dégager des odeurs nauséabondes. J'ai poursuivi l'étude des différents types de garçons auxquels nous devons actuellement faire face.

N.B. Les garçons recourent volontiers à l'effet de surprise. Sois préparée à cette éventualité particulièrement dévastatrice en ne te séparant jamais de ce livre.

Être une fille...

Être une fille, voilà la première expérience de notre vie. Au moment où nous faisons notre apparition dans le monde qui nous entoure, nous avons eu neuf mois pour nous y habituer et nous passerons le reste de notre vie à nous en accommoder. Cela ne pose aucun problème. Vraiment aucun problème? Eh oui, tu as déjà suffisamment d'expérience de la vie pour savoir qu'être une fille n'est pas aussi simple qu'il n'y paraît.

J'ai souhaité entreprendre l'écriture de ce livre là où la plupart d'entre nous viennent au monde : armée de mon ordinateur portable, je me suis donc rendue dans la maternité d'un hôpital mixte[1] où tous les nouveau-nés, garçons ou filles, sont placés dans une salle commune. Les lits des petits garçons portaient un ruban bleu et une étiquette mentionnant : JE SUIS UN GARÇON[2].

Les lits des petites filles étaient parés de nœuds rose bonbon. L'étiquette indiquait : C'EST UNE FILLE. C'EST????!!!!

1. Hôpital de la Cigogne, avenue Braillard, Doulange.
2. Je n'ai pas besoin de t'apprendre que les garçons ne rédigent pas cette étiquette eux-mêmes. Il y a donc de fortes probabilités que quelqu'un le fasse à leur place.

5

Les petits garçons viennent au monde sous l'étiquette JE. Crois-tu qu'ils s'en réjouissent? Pas du tout.

Prenons l'exemple de Tony Truand. Il n'arrête pas de bêler à quel point il est difficile d'être un garçon en raison des attentes que les parents ont par rapport à leur progéniture masculine.

Les relations avec les parents

Tony passe volontiers ses samedis à lire ou à jouer de la flûte, mais ses parents attendent de lui qu'il joue au football pour qu'il fasse comme son père, comme le père de son père et comme le père du père de son père. «C'est ce que font tous les garçons du monde et nous voulons que tu en fasses autant», renchérit sa mère.

Voyons à présent ce qu'il en est de Wendy : ses parents attendent d'elle qu'elle passe ses samedis à lécher les vitrines ou à se maquiller les ongles des orteils.

6

Wendy, quant à elle, ne rêve que d'une seule chose : passer ses samedis à jouer au rugby. D'ailleurs, elle a la carrure d'un demi de mêlée, et, pour employer ses propres termes, elle est née pour jouer au «rugueubie». Mais ses parents lui ont toujours soutenu qu'elle était une fille. Ils ont déposé ses chaussures de rugby dans un magasin Oxfam. Ils l'ont également armée d'un sac à provisions et d'un flacon de vernis à ongles «spécial orteils».

Je connais au moins cinquante gars qui passent leurs samedis à lire ou à jouer d'un instrument de musique, mais je ne connais personnellement aucune fille qui joue au rugby que ce soit le samedi ou un autre jour. Ceci tend à prouver que les parents sont plus sévères envers les filles et qu'ils ne leur font aucune concession. Par contre, ils sont nettement plus conciliants vis-à-vis des garçons : ceux-ci peuvent faire tout ce qui leur plaît ou à peu près. Si les filles doivent répondre aux attentes de leurs parents, elles doivent également répondre à celles de la société. Naguère, une fille était considérée comme une femme en miniature. En d'autres termes, elle devait garder la maison/le château/la masure et les enfants, elle devait également savoir coudre et jouer du plumeau. Tu pourrais avoir l'impression que rien n'a changé, mais les femmes ont changé. Le prix que les filles doivent payer pour faire des choses dont les hommes pensent qu'ils sont les seuls à pouvoir faire n'est pas aussi élevé que tu pourrais le croire. Je mets ma main à couper que si tu décidais d'embrasser la carrière militaire tu ne serais pas conduite au bûcher. C'est pourtant ce qui est arrivé à Jeanne d'Arc[1], la Pucelle d'Orléans, lorsqu'elle décida de s'engager dans l'armée plutôt que de garder le troupeau de moutons[2] de son père.

---

1. Née en 1412, brûlée en 1431.
2. Elle était allergique à la laine.

7

Les autres filles

La fille que je suis n'a jamais été humiliée ni par ses parents ni par la société, mais bien par les autres filles en général et Marie Bambelle en particulier. Marie avait toujours les baskets «in» de la classe. Et alors, me diras-tu, quel est le problème? Le problème est que les baskets que je porte étaient «in», il y a quelques années.

Marie avait tout ce que je voulais avoir et dont je devais me passer. Par contre, elle n'avait pas ce que je ne voulais pas avoir, mais que j'avais quand même, par exemple, un affreux bouton sur le menton, une obsession qui ne voulait pas me lâcher et pourtant, Dieu sait combien de fois je l'ai pressé, cet infâme bubon. Les parents de Marie l'autorisaient à sortir chaque fois qu'elle le voulait, alors que les miens ne me laissaient sortir que pour autant que je leur donnais l'horaire minuté de tout ce que j'avais l'intention de faire et que je leur disais où j'allais et avec qui. (De plus, ils me supprimaient l'argent de poche si d'aventure j'oubliais de rentrer avant dix heures du soir.) Marie avait beaucoup plus de petits amis que moi… Un jour, j'ai essayé d'en faire le compte, mais il a fallu que j'arrête, faute de doigts (et d'orteils). Même un singe nul en calcul aurait pu compter le nombre de petits amis que j'avais eus, dans la mesure où je n'en ai jamais eu. Pas le moindre jules, même pas l'ombre d'un jules.

Un jour, alors que Marie pointait son beau nez égyptien (le mien est retroussé) vers mes baskets démodées, j'ai vu rouge. Je lui ai balancé ses quatre vérités. Je lui ai dit que je me rongeais les ongles jusqu'à l'os parce qu'en sa présence, j'avais l'impression d'être une minable, une ratée, une merde, du vent, de l'air.

J'ai cru que Marie allait s'évanouir. Elle souleva sa blouse (en soie, achetée chez un grand couturier) et me fit voir une éruption cutanée dont elle me rendait responsable. Elle ne supportait plus de m'entendre dire que j'avais

8

des parents formidables parce qu'ils m'interdisaient de sortir, parce qu'ils voulaient que je fasse mes devoirs et parce qu'ils ne m'obligeaient pas à porter des vêtements griffés pour prouver que j'étais quelqu'un. Ensuite, elle me dit qu'elle faisait d'horribles cauchemars depuis que j'avais découvert qu'elle se tartinait le visage avec du maquillage pour dissimuler ses mille et un boutons, alors que moi je n'étais pas obligée de me peinturlurer le minois parce que je n'avais qu'un seul bouton (minuscule, de surcroît).

Proche du stade terminal, je tremblais comme une feuille lorsqu'elle m'apprit qu'elle payait des filles pour qu'elles deviennent ses copines. Elle les payait avec des barres de chocolat et des collants Lycra. Elle payait également ses petits amis, mais pas avec des collants Lycra.

Je regardai Marie. Marie me regarda. Nous nous mîmes à rire. Lorsque les filles rigolent ensemble, elles deviennent les meilleures copines du monde. C'est précisément ce qui nous arriva. Il arrive également que la fille qui a l'air de te considérer comme un vil insecte se sente très mal dans sa peau. Mais comment le savoir? Très simple, il suffit de le lui demander.

Les relations avec les autres filles, avec la société et avec les parents, le fait de commencer sa vie en étant le C' de "C'est une fille" représentent un véritable cauchemar. Si tu vis un cauchemar, je te prie de te réveiller. Tu auras besoin de toutes tes forces et de toute ton énergie pour faire face aux bipèdes aux genoux cagneux qui t'empruntent ton meilleur stylo sans jamais te le rendre : j'ai parlé des garçons.

Depuis la nuit des temps, les filles se trouvent confrontées aux garçons. Comment tout cela a-t-il débuté? Quelle fut l'attitude des nombreuses générations de filles et de femmes qui nous ont précédées? Je te propose de faire un plongeon dans le passé...

Le point de vue historique...

Au début, il n'y avait pas de journaux à sensation pour faire état de ce qui se passait dans le monde. En fait, il n'y avait même pas de monde, jusqu'au jour où Dieu décida de créer le monde ainsi que tous les êtres. Il créa un homme, qui présentait de fortes similitudes avec le singe.

«C'est ma première tentative de création de l'être humain», pensa Dieu. «Je recommence.» Comme il ne pouvait se résoudre à tout recommencer, il réalisa une version améliorée à partir d'une côte prélevée chez Adam.

«Ne touchez pas à ma côte», grogna Adam.
Il était tellement terrifié qu'il s'évanouit (depuis lors, aucun homme n'a encore eu le courage de donner la vie).

Lorsque Adam reprit ses esprits, l'opération était terminée. En ouvrant les yeux, il vit un autre être humain à ses côtés.

«Cet être est une femme», fit Dieu. «Elle s'appelle Ève.»
Ève avait un corps gracieux. Son visage n'était pas hirsute. Ses genoux n'étaient pas cagneux. Dieu plaça Adam et Ève dans le Jardin d'Éden, un endroit où le soleil brillait toujours, où les lions et les agneaux batifolaient ensemble et où les moustiques ne mordaient jamais personne. Il leur dit qu'ils pouvaient vivre là pour l'éternité et dans le bonheur parfait. «Tout ce que je vous demande, c'est de ne pas croquer cette pomme.» Il pointa son index vers un arbre qui portait une seule grosse pomme rouge.
«Bien sûr!», répondit Adam. «Comme Vous voudrez.»
Mais Ève était curieuse : «Et pourquoi nous est-il interdit de croquer cette pomme?»
«Parce que si vous le faites, vous découvrirez toutes sortes de choses que vous regretterez aussitôt de connaître. Je suis simplement soucieux de votre bonheur», fit Dieu. «Je vous donnerai tout ce dont vous aurez besoin. Vous n'aurez à vous inquiéter de rien.»
Dieu était aussi bon que Sa Divine Parole. Adam et Ève n'avaient pas besoin de travailler, de jardiner ou de cuisiner. S'ils avaient envie d'un hamburger dégoulinant de ketchup, on le leur servait sur une assiette en porcelaine (le plastique n'a pas droit de cité au Paradis).
«C'est parfaitement clair», dit Adam.
«Mmm…», fit Ève. Éden était parfait, mais…
Elle était incapable de donner un sens précis à ce mais. Elle avait le sentiment que ce mais avait un rapport quelconque avec la pomme. Elle n'arrêtait pas de se demander ce qui se passerait si d'aventure elle décidait de croquer cette pomme.
«Vas-y, Ève. Croque cette pomme. Tu sais que tu en as envie.»

11

Ève baissa les yeux et aperçut un serpent à ses pieds.

«Mais Dieu m'a dit que j'allais le regretter.»

«Et s'il se trompait?» siffla le serpent, qui s'éloigna en haussant les épaules.

Ève était impatiente de raconter la conversation qu'elle avait eue avec le serpent. Adam monta sur ses ergots et lui rappela que Dieu avait dit que l'ignorance était une béatitude.

«Mais j'ai envie de voir si c'est vrai.»

«Dieu nous l'a interdit», fit Adam.

«Il n'en saura probablement rien. C'est un risque que nous devons oser prendre. S'il te plaît, Adam, juste une petite bouchée.»

«D'accord, fit Adam, juste une petite bouchée.»
Ensemble, ils cueillirent et croquèrent la pomme.
Un cri remplit le ciel : «Espèces d'ingrats».
Dieu en descendit, chevauchant un éclair. Il tempêta : «Je vous ai donné le Paradis, mais cela ne vous suffit pas encore. Il vous fallait encore Ma pomme.» Il pointa le doigt vers le ventre d'Ève qui s'était mis à gonfler. «Vous avez découvert le secret de fabrication des enfants. Mais vous n'êtes pas au bout de vos surprises! Ne dites surtout pas que Je ne vous avais pas prévenus.»
Il les chassa du jardin d'Éden.
Livrés à eux-mêmes, Adam et Ève durent s'assumer dans un monde très différent de celui qu'ils avaient connu jusqu'alors. Ils découvrirent très vite toutes les choses qu'ils avaient souhaité connaître et qu'ils regrettaient aussitôt d'avoir connues. Adam ne cessait de se plaindre.
«Au Paradis Terrestre, j'ignorais la faim, la soif, le froid, le mal de dents. J'ignorais la tristesse, la maladie, sans parler de la mort.»
«Il me semble que tu vis toujours», siffla Ève.
«Ce n'est qu'une question de temps. J'aurais pu vivre éternellement au Paradis si tu ne m'avais pas tanné pour croquer la pomme de Dieu.» Comme la pomme de Dieu lui resta longtemps en travers de la gorge, elle fut appelée ultérieurement la pomme d'Adam.
«Donc, si je te comprends bien, je te l'ai enfoncée dans la gorge.»
«Je l'ai simplement croquée pour que tu arrêtes de m'agacer. Tout est ta faute.»
«Ce n'est pas vrai.»
«Si.»
Des mots de colère fendirent l'air, bientôt suivis de casseroles, d'assiettes et du hochet du bébé. Adam et Ève ne s'étaient jamais disputés au Paradis, mais désormais, ils n'arrêtaient plus.

Qu'importe qui avait raison et qui avait tort. Si Adam et Ève avaient respecté la parole de Dieu, ils se baladeraient encore toujours innocemment au Paradis terrestre, la Guerre des Sexes n'aurait jamais eu lieu et toi et moi, nous ne serions pas ici. Mais tel était leur destin...

L'Égypte antique fut la première civilisation à avoir admis et reconnu l'égalité des sexes. Tant les garçons que les filles avaient le droit de posséder une vache ou d'hériter une somme d'argent. Lorsqu'une fille se mariait, elle n'avait pas à céder sa vache ou son argent à son mari. Elle pouvait garder ses biens, il pouvait garder les siens, ou ils pouvaient les partager équitablement.

La preuve du statut égalitaire de la femme se retrouve non seulement dans les hiéroglyphes immortalisés dans les tablettes de pierre, mais également dans les monuments de pierre appelés sphinx. Le Sphinx avait un corps de lion (pour rappeler aux représentants des deux sexes qu'ils partageaient les mêmes origines animales) et une tête de sexe indéterminé.

Comme on pouvait s'y attendre, dans les pays où les femmes et les hommes étaient traités sur un pied d'égalité, la civilisation prospérait. Les arts et les sciences faisaient des progrès spectaculaires. Même le secteur de la construction était en pleine expansion. Les Égyptiens construisaient des maisons pour les vivants et même pour les morts : c'étaient les pyramides.

À l'époque où l'Égypte antique devint l'Ancienne Égypte, la première blessure masculine (voir la section intitulée *L'origine*) se remit à saigner et les hommes mirent tout en œuvre pour se prouver qu'ils étaient les meilleurs, les rois du boulevard, les pharaons des pyramides. Plutôt que de provoquer des bains de sang et de blesser leurs petits amis, leurs maris, pères et fils, les femmes firent le choix de ne pas se venger. Peut-être auraient-elles dû? Gouvernée par les seuls hommes, la civilisation déclina. Jusqu'au jour où une reine appelée Cléopâtre estima que le temps était venu de redresser la situation.

Cléopâtre était gentille et chaleureuse. Elle accorda même une seconde chance aux garçons. Elle leur permit de participer à la restauration de l'éclat et de la magnificence d'antan. Ensuite, Marc (Antoine) et Jules (César) se querellèrent, car ils voulaient savoir lequel des deux avait le droit de porter les valises de Cléo, même si cette dernière avait édicté un règlement qui l'autorisait à les porter elle-même. Résultat : César se fit poignarder, Antoine se fit descendre. Cléopâtre resta bien seule avec son aspic[1].

1. Serpent venimeux, probablement le même qui fit succomber Ève à la tentation.

LES ANCIENS GRECS

Notre prof d'histoire s'appelle Dumortier, Duduche pour les intimes. Si un ancien Grec était entré dans la classe, il se serait jeté à ses genoux et il lui aurait embrassé les pieds. Il vouait une admiration et une vénération sans bornes aux anciens Grecs. Il n'arrêtait pas de nous dire à quel point ils étaient civilisés et à quel point nous devrions leur être reconnaissants d'avoir inventé la démocratie.

Civilisés? Démocratie? Analysons ces termes d'un peu plus près.

Hélène était une jeune beauté qui avait épousé Ménélas, un Grec très ancien, voire antique ou préhistorique, qui avait les dents pourries, une grosse panse et le crâne dégarni. (Ce mariage avait été arrangé par les parents.)

Un jour, Pâris apparut dans la vie d'Hélène. Il était jeune et beau comme un dieu. L'inévitable se produisit : Hélène et Pâris tombèrent désespérément amoureux et s'enfuirent à Troie. Ménélas était fou de rage. Il persuada son frère, le roi Agamemnon, de déclarer la guerre à Troie et de ramener Hélène séance tenante. Mais les navires ne purent prendre la mer, faute de vent. Quelqu'un lui expliqua que le vent se lèverait s'il sacrifiait sa fille, s'il l'emmenait au bord d'une falaise et s'il lui tranchait la gorge. Agamemnon s'exécuta. Peu après, le vent se leva et les navires grecs mirent le cap sur Troie où ils livrèrent une des batailles les plus sanglantes[1] de l'histoire.

---

1. Si Agamemnon avait pensé à écouter les prévisions météorologiques à la radio, il aurait su que le vent se serait quand même levé ce jour-là, ce qui lui aurait permis d'épargner sa fille.

C'est à ce moment que je m'étais arrêtée de bâiller pour demander à Duduche ce que pouvait bien représenter la notion de civilisation pour un vieillard qui avait déclaré la guerre à la cité de Troie au sujet d'une fille qui avait été obligée de l'épouser ou pour un père qui devait sacrifier sa fille pour que le vent se lève. Dudu m'avait jeté un regard supérieur qui signifiait : «Tu es une fille, tu ne peux pas comprendre cela». Et il avait raison. Il en allait de même pour la notion de démocratie chère aux anciens Grecs. Devine qui avait le droit de vote. Uniquement les hommes. Les urnes portaient la mention INTERDIT AUX FEMMES. Celles qui ne respectaient pas cette forme de démocratie étaient envoyées dans les mines de sel. Si la Grèce antique était démocratique, Duduche est un Martien. Ce qui, tout compte fait…

17

LES ROMAINS ET LES BRETONS

Les Romains étaient les technocrates de l'ère antérieure à la naissance du Christ. Leurs villas étaient équipées de toilettes et du chauffage central, ce qui était parfait pour les garçons. Si tu étais une fille, tu n'avais pas l'ombre d'une chance de déposer ton noble séant sur la cuvette. Les filles étaient des êtres dont on pouvait parfaitement se passer. A telle enseigne que l'on déposait les nouveau-nés de sexe féminin sur le versant d'une colline pour qu'ils se fassent dévorer par les loups.

Les chefs romains, qui ne comptaient pas de femmes dans leurs rangs, décidèrent de faire plaisir au monde entier et de le conquérir de telle sorte que tout le monde puisse profiter de l'incroyable progrès technologique que représentaient les toilettes. La Grande-Bretagne se trouvait sur leur feuille de route.

L'ancienne Grande-Bretagne était constituée de plusieurs tribus qui ne connaissaient pas encore les joies du chauffage central mais qui avaient des reines et des rois. La reine Boadicée régnait sur la tribu de Norfolk. Elle voulait chasser les Romains séance tenante.

«Lorsque j'ai un besoin urgent à satisfaire, je me dissimule derrière un arbuste. Trêve de sermons. A l'assaut!» Les rois se plaignaient sans cesse que les Romains possédaient des armes plus performantes et qu'ils n'avaient donc plus qu'à capituler. «Et si nous nous servions de notre cerveau», suggéra Boadicée.

Tandis que les rois s'affairaient à chercher leur cerveau, Boadicée eut l'idée de fixer des lames de fer sur les roues

18

des chars afin de réduire l'armée romaine en chair à saucisse.

Hélas, Boadicée périt au champ d'honneur. Privée de son commandement, l'armée bretonne fut anéantie et les Romains prirent le pouvoir. Comme les Égyptiens et les Grecs, qui pensaient que les hommes savaient tout et que les femmes ne savaient rien, les Romains récoltèrent ce qu'ils avaient semé et l'Empire romain s'effondra.

Les VIKINGS

Partis de Scandinavie, les Vikings envahirent la Breta-
gne. Ils étaient vêtus de peaux d'ours et de casques à cor-
nes. C'étaient les ancêtres de Rambo. D'ailleurs, ils trai-
taient les femmes de la même manière. Nous en avons dit
assez.

L'époque Féodale

À l'époque, les riches et les puissants n'arrêtaient pas de se chercher des poux. C'est pourquoi, ils brûlaient les châteaux et les récoltes du voisin. S'ils n'avaient pas décidé de livrer bataille sous d'autres latitudes, il ne serait pas resté le moindre fétu de paille ni le moindre mur entier.

«Il nous incombe de nous y rendre», disaient-ils à leurs épouses. «Vous devrez vous débrouiller jusqu'à notre retour.»

Les armées partirent en plusieurs vagues faire les Croisades au Moyen-Orient.

Dès que le dernier soldat en armure eut disparu à l'horizon, les femmes roulèrent leurs manches et se mirent à nettoyer tout le bordel que les hommes avaient laissé derrière eux. Je ne parle pas de leurs chaussettes sales ni de leurs caleçons souillés. Les femmes de noble lignée dirigeaient les vastes propriétés de leurs maris et envoyaient des ménestrels[1] dans le pays tout entier pour annoncer que les propriétés avaient changé de gestionnaire.

1. Il s'agissait de journalistes apatrides qui ambitionnaient de devenir des stars de la chanson. Ils sillonnaient le pays en chantant les nouvelles avec l'espoir de se faire remarquer par un chasseur de tête et de signer le contrat du siècle.

22

Les femmes de condition inférieure désherbaient les champs et s'occupaient des plantations de chou.

Les femmes qui n'appréciaient pas la vie à la campagne ouvraient des magasins, des pharmacies, des commerces. D'autres devenaient des artistes ou des fabricants d'armures. Elles dirigeaient également des écoles. Dans les hôpitaux, leur tâche ne se limitait pas à vider les pots de nuit – elles travaillaient comme médecins et chirurgiens. Mais les livres d'histoire ne relatent pas ces faits.

Les Croisés ne tardèrent pas à apprendre que leurs épouses géraient parfaitement le ménage et le château en leur absence. Ils prirent le premier bateau et rentrèrent au bercail. Les femmes furent écartées de toutes les tâches qu'elles avaient assumées jusque-là. Celles qui se plaignaient de leur sort périrent sur le bûcher comme des sorcières. On traita de la sorte les femmes qui essayaient de faire des choses plus gratifiantes que de peler les patates. Cette tradition se perpétua jusqu'en 1736, année de la Grande Pénurie de Bois qui coïncida également avec la loi sur l'abolition des bûchers.

 L'ÈRE ELISABÉTHAINE

Trois époques de l'histoire britannique portent le nom de femmes. La première fut Elisabeth I, dont le père Henri présentait quelques similitudes avec Liz Taylor. Il est surtout connu en raison du nombre de ses mariages. Contrairement à Liz, Henri avait une brique à la place du cœur. Lorsqu'il souhaitait se débarrasser rapidement d'une femme, il n'hésitait pas à la faire décapiter. Ce cruel destin frappa notamment la mère d'Elisabeth I, parce qu'elle n'avait pas pu donner naissance à un fils[1].

SI NOUS L'HABILLONS DE BLEU, CROIS-TU QUE LE ROI S'APERCEVRA DE QUELQUE CHOSE ?

1. Ce qui était entièrement la faute d'Henri parce que ce sont les hommes qui déterminent le sexe des enfants qu'ils conçoivent. Mais il était trop bête pour le savoir.

Sa mère ayant perdu la sienne suite à son mariage, Elisabeth décida de garder la tête froide et de rester célibataire. Elle prouva qu'une fille était parfaitement capable de se débrouiller sans être mariée. Elle démontra également qu'une femme pouvait être aussi habile dans le maniement de la hache que son père. C'est ainsi qu'elle fit décapiter sa cousine écossaise Mary pour l'empêcher de mettre les mains sur son trône[1]. Elle appliquait sans sourciller les principes que son père lui avait inculqués.

Par contre, Elisabeth infirma la croyance typiquement masculine selon laquelle les femmes ne comprennent rien aux choses de l'argent. Elle excellait dans l'art de gérer l'argent, et plus particulièrement celui des autres. Le pays devint immensément riche, grâce notamment au butin ramené par les pirates naviguant sous son pavillon. Après sa mort, cette fortune fut dilapidée par quelques rois stupides, avant qu'une autre reine ne vienne la sauver.

1. Un des rares exemples historiques de méchanceté féminine.

25

Les Suffragettes

Après 2 000 ans de démocratie à la grecque, les femmes décidèrent que la plaisanterie avait assez duré et qu'elles avaient assez souffert. Elles revendiquèrent le droit de vote. Les hommes comprirent que le glas de l'ère du MOI! MOI! JE VEUX TOUT POUR MOI avait sonné, mais ils ne capitulèrent pas sans livrer bataille. Les femmes non plus d'ailleurs. Elles s'enchaînèrent à des balustrades, laissant aux hommes le soin de s'occuper du dîner, des courses et des poussières. Ils ne purent s'acquitter de ces tâches ô combien ingrates et les femmes obtinrent le droit de vote.

LE MOUVEMENT DE LIBÉRATION DE LA FEMME

Lorsque ma grand-mère parlait de libération, son petit ami de l'époque (mon grand-père de maintenant) croyait qu'elle parlait du parfum qu'elle voulait se voir offrir pour la Noël.

Un jour, elle lui annonça qu'elle désirait une rémunération égale à la sienne pour travailler au snack. Il lui paria dix sous qu'elle ne l'obtiendrait pas, sous prétexte que les filles étaient toujours moins bien payées que les garçons.

Ayant gagné son pari, elle en profita pour gagner les rangs du Mouvement de Libération de la Femme qu'elle aida à progresser d'une manière tellement spectaculaire qu'il fit son entrée au Parlement où les féministes firent une telle avancée que les parlementaires masculins en demeurèrent tout pantois. Tandis qu'ils tentaient de retrouver leur souffle, les féministes en profitèrent pour apporter quelques changements aussi radicaux que spectaculaires, ce qui explique pourquoi une fille qui fait la plonge chez DoMac reçoit le même salaire horaire que le crétin qui fait le même boulot.

Nous voici arrivées à l'époque actuelle que tu connais aussi bien que quiconque. Réalise un travail sur l'histoire actuelle et envoie-le à Dudu. Il se fera un plaisir de le noter et de l'annoter. Si tu hésites, ne t'en fais pas. Sache qu'il avait l'habitude d'allumer sa pipe avec mes travaux d'histoire. Il serait franchement étonnant qu'il ne fasse pas la même chose avec les tiens.

AVERTISSEMENT : nous entrons de plain-pied dans une zone infestée de garçons. Avant de poursuivre cette aventure, je te conseille de mettre tes lunettes de soleil, ton masque à gaz et ton gilet parc-balles.

28

Qu'est-ce qu'un garçon ?

Afin de connaître l'ennemi à éviter, nous devons nous entendre sur sa définition. J'ai rencontré des petits garçons au jardin d'enfant qui se pavanaient dans la cour de récréation en croyant qu'ils étaient des hommes. Le dimanche, au parc municipal, j'ai également croisé des hommes (essoufflés, écarlates) à la panse pendouillante qui croyaient (à tort) qu'ils étaient encore des garçons.

Même si nous ne savons pas exactement ce qu'ils sont, la rumeur prétend que les garçons sont composés des ingrédients suivants :

– des limaces;
– des escargots;
– des queues de chiots.

En me fiant à ma propre expérience, je crois pouvoir les subdiviser en huit catégories plus une (voir *Gugus*) dont chacune se distingue d'après ses caractéristiques, son habitat, sa phrase type, le pour (difficile à trouver) et le contre (trop important pour être repris dans le cadre de ce livre).

N.B. On m'a dit (je ne dévoilerai pas mes sources, car j'ai donné ma parole d'honneur) que la seconde partie du livre accuse les filles de ne pas dire ce qu'elles pensent. Évidemment, c'est exactement le contraire. C'est tellement vrai que je n'ai pas jugé utile de donner d'exemples ou de te mettre en garde.

29

les Types de garçons

1. Le caïd

Nature et habitat : tapageur, bien sapé et grande gueule. Il hante volontiers les gradins des stades et les couloirs des écoles, où il s'emploie généralement à exhiber ses amygdales. Tu ne peux pas le louper (à moins de raser les murs) parce qu'il se déplace au beau milieu des couloirs au sein d'un troupeau de caïds de la même trempe.

Phrase type : «Hé, toi».

Le pour et le contre : sous sa carapace de caïd, c'est un vrai tendre. Si tu veux, tu le feras obéir au doigt et à l'œil.

Mais en voudras-tu? Il mange comme un porc et ne peut s'empêcher d'éructer bruyamment. Il ne s'entendra pas avec tes parents. Si toi non plus, tu ne t'entends pas avec tes parents, tu trouveras en lui un allié précieux.

EH, LES MECS, ON S'CASSE !

2. Le cerveau (également appelé la tête d'œuf en raison du profil caractéristique de la tête).

Nature et habitat : il pense beaucoup et il n'arrête pas de penser que penser est la chose la plus importante au monde et que tous ceux qui ne pensent pas ne sont pas dignes d'intérêt. Je crois que tu le trouveras à la bibliothèque de l'école, le nez plongé dans un livre dont les petites lettres donneraient le tournis à n'importe quel individu normalement constitué.

Phrase type : «Je suis tout bonnement génial».

Le pour et le contre : ne perds pas ton temps à améliorer ton éloquence. Il prendra toujours la parole à ta place. Sachant qu'il postillonne comme un beau diable, tu prendras soin de te munir d'un parapluie.

3. Le tombeur

Nature et habitat : vise-moi ses dents, ses yeux, son bronzage. Il est beau comme un dieu grec. Mais où le trouver? Repère un attroupement de filles devant les grilles de son école. Il se trouve au centre.

Phrase type : il n'en a pas besoin. Un simple regard suffit pour que les filles se jettent à ses pieds. Il a l'embarras du choix et il ne s'en prive pas.

Le pour et le contre : c'est un plaisir pour les yeux. C'est peut-être son seul avantage.

4. L'écologiste new age

Nature et habitat : aperçois-tu le garçon planté au milieu du square, sous la pluie battante? Il exhibe une pancarte SAUVONS LES BALEINES. C'est son aspect écolo. Il parle lentement pour économiser l'énergie. Il recycle les vieilles chaussettes et les vieux jeans de ses congénères en s'habillant chez Oxfam. Il ne mange pas de viande. Il ne se rend jamais à un rendez-vous sans sa calculette (voir le pour et le contre).

Phrase type : «Veux-tu partager une feuille de salade avec moi?»

Le pour et le contre : tu ne devras pas le convaincre de ton intelligence. Le naturaliste qui sommeille en lui sait que tu as un cerveau. Mais, si tu es du genre romantique, oublie immédiatement le baiser de fin de soirée, car il est plongé dans de savants calculs portant sur l'usure des semelles de cuir et leur impact sur le cheptel bovin.

5. Le preux chevalier dans son armure étincelante

Nature et habitat : incroyablement beau, poli, charmant, fort, courageux, aventurier. Il est prêt à sacrifier sa vie au moindre gémissement de ta part, il aime tout ce que tu aimes, il t'admire davantage que n'importe quelle fille au monde. On le rencontre dans les rêves les plus fous et dans les contes de fées.

Phrase type : «Tes souhaits sont des ordres».

Le pour et le contre : il est parfait, MAIS… il n'appartient pas au monde du réel.

34

6. La mauviette

Nature et habitat : les apparences sont parfois trompeuses: la mauviette peut ressembler à un camionneur. Elle est toujours à la recherche d'une épaule sur laquelle elle peut déverser ses flots de larmes. Tu la trouveras debout sur son pupitre lorsque le hamster de la classe s'est échappé de sa cage.

Phrase type : «Euh, euh, euh...»

Le pour et le contre : ses problèmes sont toujours plus graves que les tiens. Avec lui, tu auras toujours l'impression d'être venue au monde sous la protection d'une bonne fée. Par contre, en cas de naufrage, s'il ne reste qu'un gilet de sauvetage, je te laisse deviner qui sera le premier à mettre le grappin dessus.

7. Le chouette gars

Nature et habitat : arborant toujours et en tout lieu un sourire non déguisé, il prête sincèrement l'oreille à tout ce que tu lui dis, même si c'est ennuyeux. (Il t'est impossible d'être intéressante du matin au soir.) C'est le genre de garçon à t'emprunter un crayon et à te le rendre ou à aider ta petite sœur à faire ses devoirs. Tu le trouveras à l'école, toujours occupé à faire des choses que personne ne songerait à faire, par exemple, nettoyer le vestiaire durant la récréation.

Phrase type (sincère) : «Je trouve que C. Jérôme est génial».

Le pour et le contre : il n'écumera pas de rage et il ne fera pas la sourde oreille si tu lui demandes de te rendre un petit service, par exemple, de t'accompagner chez ta grand-mère un soir de Coupe d'Europe de football. Par contre, il hantera tes jours et tes nuits, car tu ne pourras te résoudre à croire qu'il est vraiment aussi sympa qu'il en a l'air. Pour le savoir, je te propose le truc suivant :
Prends cette montre à quartz, ce baladeur ou n'importe quel objet pour lequel il a épargné durant de longs mois et laisse-le tomber (accidentellement) sur quelque chose de dur, par exemple, la tête de ton petit frère. S'il continue à afficher son sourire béat en susurrant : «Cela arrive à tout le monde, n'en parlons plus», ton chouette gars est vraiment sympa. Mais s'il saute au plafond ou s'il te fait sauter au plafond, s'il fond en larmes ou s'il va se réfugier dans les jupes de sa mère, tu sais qu'il n'est qu'un sinistre simulateur.

Gugus : un type tout à fait particulier. Tu le retrouveras dans le chapitre suivant.

Les garçons de A à Z...

Maintenant que nous savons de quoi les garçons sont faits et que nous avons étudié les différents types de garçons, il ne nous reste plus qu'à apprendre comment les affronter.

Si bizarre que cela puisse paraître, les relations avec les garçons se compliquent avec l'âge. Les petites filles ignorent superbement les petits garçons. Elles préfèrent se consacrer à des choses plus importantes, par exemple, tenter de connaître les décibels nécessaires pour convaincre leur papa de ramasser le hochet qu'elles ont fait tomber pour la cinquante millième fois. Ensuite, les petites filles vont à l'école et les garçons ne représentent guère plus que des petits morveux à côté desquels elles n'ont aucune envie de s'asseoir. Mis à part quelques cas exceptionnels, lorsqu'il s'agit par exemple de faire des concours de grimaces ou de sauter dans les flaques d'eau, nous les ignorons et ils nous ignorent. Il va sans dire que cette situation nous convient parfaitement.

Ensuite, il se produit un événement aussi grave qu'imprévisible. J'ai été frappée soudainement par une indicible envie de sortir avec un garçon. J'allais manifestement très mal. J'espère que la section suivante intitulée *Les garçons de A à Z* t'évitera de tomber dans les pièges où je me suis précipitée. Bonne chance, ma vieille. J'espère que tu t'en sortiras mieux que moi.

Aaah!

Si un garçon provoque chez toi une réaction de ce genre, il peut y avoir trois causes :
1. Il est répugnant.
2. Il est beau comme un dieu grec en vacances.
3. Il t'a écrabouillé les pieds.
S'il est répugnant, fais-toi plaisir et ne le regarde pas. S'il est beau, n'oublie jamais que la beauté est aussi superficielle qu'éphémère. Tâche de voir ce que cette beauté apparente peut bien dissimuler avant de te jeter à ses pieds.
S'il t'a écrasé les pieds, rends-lui la monnaie de sa pièce.

Acné

Il a de l'acné. Au cas où cela lui aurait échappé, dois-tu lui dire que son visage ressemble à un champ de mines ou à un tableau de bord? Oui, si tu ne crains pas de provoquer un flot d'insultes. A moins d'être dermatologue et de connaître un remède de cheval pour lutter contre ces éruptions qui transforment la peau en paysage lunaire, tu éviteras de lui prodiguer des conseils, faute de quoi tu risques de déclencher une avalanche d'insultes.
Ne t'interpose jamais entre un garçon et son acné.
Laisse-les se débrouiller entre eux.

Adolescent

L'adolescent est l'espèce humaine la plus rebelle et la plus fatigante à avoir mis ses pieds maladroits sur le sol de notre planète. Il est totalement imprévisible sauf dans ce qu'il a de plus horrible. On ne peut pas lui faire confiance. Il est sujet à des accès de rage, frustré qu'il est de ne pas comprendre ses propres agissements. Soudain, il se prend pour un bébé et il veut que tu ramasses le hochet qu'il a jeté à tes pieds. L'instant d'après, il se prend pour un homme et défie tous ceux qui ne pensent pas comme lui.

Dans les tribus primitives caractérisées par leur immense sagesse, on réunit les adolescents avant de les conduire dans un endroit isolé où ils peuvent donner libre cours à leur rage. Ils doivent également subir des épreuves au péril de leur vie, par exemple, se battre contre des lions, les mains attachées dans le dos, ou s'asseoir sur un nid de fourmis durant une semaine sans broncher. Cette technique permet de réduire considérablement le nombre des agitateurs. Un ou deux ans plus tard, les survivants sont autorisés à réintégrer la tribu. Ils rentrent généralement couverts de plaies et de cicatrices. Parfois, il leur manque un membre ou deux. Même s'ils ne sont pas devenus plus sages, les plus irréductibles sont quelque peu calmés.

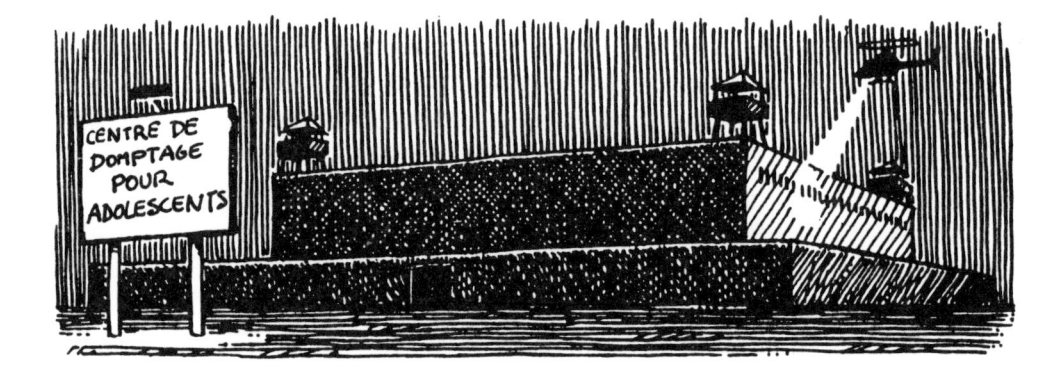

Dans notre civilisation, hélas, les adolescents peuvent donner libre cours à leur violence et à leur rage. Leurs parents s'arrachent les cheveux de désespoir. Leurs enseignants capitulent et démissionnent massivement. Personne ne parvient à les prendre en mains. Personne, si ce n'est :

L'ADOLESCENTE

Elle donne en fonction de ce qu'elle reçoit. Pour une modeste contribution (minimum 500 F), elle dispense des conseils judicieux à quiconque souhaite prendre un adolescent en mains. Par exemple, de ne pas l'aborder sans être revêtu d'une combinaison de protection ou sans avoir avec soi une demi-carcasse de bœuf, de sorte qu'il puisse s'attaquer à la viande plutôt qu'à la personne qui s'approche d'eux.

Au moment où j'écris ces lignes, un nouveau parti politique, le FFST (le Front des Filles qui Savent Tout) a déposé une proposition de loi au Parlement proposant la création, dans l'ensemble du pays, de centres de domptage pour adolescents rebelles qui serait dirigé par des adolescentes. Cette proposition aurait pour effet de réduire considérablement les quantités de tranquillisants prescrits aux professeurs et les frais de remplacement des moquettes dans les écoles où le comportement outrancier des adolescents masculins a poussé les enseignants à ronger les anciennes (moquettes).

Amour

Si tu veux savoir ce qu'est l'amour, je te déconseille vivement de t'adresser aux paroliers. Ils écrivent des tas de choses, mais cela revient toujours du pareil au même.

Utilisons des termes simples : l'amour est un sentiment. C'est la raison pour laquelle les garçons le fuient à tout prix. Une fois qu'ils ont été amoureux de quelqu'un, ils

adorent s'amouracher et ils n'hésitent pas à le faire savoir au monde entier. Tony Truant était un garçon bête à manger du foin. Le sang lui était monté à la tête et il ne parvint jamais à déclarer sa flamme à Susie. Croyant qu'il ne l'aimait pas, elle se laissa dépérir. J'espère que le cas malheureux de Susie te servira d'exemple.

Si celui qui t'aime a le visage cramoisi et s'il est incapable d'aligner deux mots de suite, je te déconseille de te laisser mourir de faim, car ce garçon t'aime également. Et si ce n'était pas le cas? Comment le savoir? D'une manière ou d'une autre, il te le dira ou il te le fera savoir. S'il ne t'aime pas, il te mettra des bâtons dans les roues pour t'empêcher de lui courir derrière. C'est une expérience pénible. Pour t'en sortir, je te propose le remède suivant, extrait du *Guide des amoureux transis*. A ma connaissance, ce truc est infaillible.

Le matin, au lever, installe-toi devant le miroir et récite le poème suivant en te regardant dans la glace :

«Chaque jour
Je l'aime un peu moins
Et je m'aime un peu plus».

Tu ne tarderas pas à te demander ce que tu pouvais bien lui trouver.

Blagues

Ce qu'un garçon considère comme une bonne blague (haha!) ne te fera peut-être jamais rire. Cette «bonne» blague risque de te rendre malade ou de te laisser de glace. Dans ce cas, ne fais jamais semblant de rire. Tu ne ferais que l'encourager à poursuivre dans cette voie. Si tes blagues ne le font pas rire, c'est qu'il n'a aucun sens de l'humour. Tu ne devrais pas hésiter à le lui dire.

Boutons

Les filles ont des boutons, les garçons ont de l'acné.

Cheveux

Il sort de chez le coiffeur. Tu aurais voulu qu'il n'y entre jamais. Que fais-tu lorsqu'il arrive chez toi, fier comme Artaban? Il ressemble très fort à un rince-bouteilles sur pattes (dont les lignes rouges présentent quelques similitudes avec ses yeux injectés de sang et le bouton qu'il arbore sur le nez). Lorsqu'il te demande ce que tu penses de sa nouvelle coiffure, ta réponse dépendra de la situation. Si tu n'as que faire de lui et que tu n'as plus l'intention de le revoir, range ta timidité au placard et balance-lui la vérité toute nue en plein visage, sans tenir compte de son ego (tous les garçons en ont un, voir *Ego*) ou de ses sentiments (tous les garçons n'en ont pas, voir *Sentiments*). D'autre part, si tout chez lui te plaît, à l'exception de sa nouvelle coupe de cheveux, tu disposes de plusieurs solutions; tu peux soit :

a) Croiser les doigts et dire: «Oui, c'est génial» (les pieux mensonges ne sont pas considérés comme de vrais péchés en ce bas monde).

b) Faire preuve de tact et dire quelque chose du genre «Mmmm».

c) Changer de sujet (de préférence, pour parler d'un autre aspect de sa personnalité, par exemple, son intelligence, sa force physique, sa perspicacité). Dans ce cas, et avec un peu de chance, il oubliera rapidement la question de sa nouvelle coupe de cheveux.

Diamants (voir *Non*)

Dingue

Un garçon qui ne te rendrait pas dingue est un spécimen exceptionnel. Si tu en rencontres un, il faut absolument que tu t'empares de lui, que tu l'emballes et que tu l'envoies au Muséum d'Histoire Naturelle où il sera placé dans un bocal pour les générations futures.

Discothèque

Sortir en boîte n'a vraiment rien de commun avec une visite chez le dentiste. Du moins, en principe. Une étude réalisée par la *Société des Sympathisants des Arracheurs de Dents* a révélé que, dans certains cas, une visite chez le dentiste peut se révéler plus agréable qu'une soirée en boîte, comme en témoignent les trois histoires suivantes :

Jackie

Jackie avait un nouveau petit ami, Thomas. Il lui avait donné rendez-vous devant la discothèque de ses rêves. Jackie était vraiment impatiente. Durant toute la soirée, Thomas n'arrêta pas de lui écrabouiller les pieds avec ses quarante-six fillette en dansant comme un sauvage. «Il n'était même pas synchro avec la musique», fit Jackie. Thomas lui cassait inlassablement les pieds au rythme de la musique. Atteinte de fractures multiples, Jackie passa les six mois suivants à l'hôpital. «Je suis dégoûtée des discothèques pour le reste de mes jours.»

Iseult

Iseult aimait passionnément Tristan. Depuis des semaines, elle attendait qu'il lui propose un rancard. Un beau jour, il l'invita à sortir en boîte. C'était un danseur extraordinaire : il passa toute la soirée à danser avec toutes les filles, à l'exception de celle qu'il avait invitée. Sur le coup de minuit, il s'éclipsa en compagnie d'une superbe créature. Iseult dut se résoudre à rentrer avec le dernier bus. Iseult affirma que la souffrance qu'il lui avait infligée était nettement plus cruelle que celle qui consiste à se faire arracher toutes les dents en une fois.

Aïsha

Aïsha n'était jamais sortie en boîte. Lorsque Katie lui demanda de l'accompagner, elle était aux anges. Elles s'amusaient comme des folles lorsqu'une bande d'orangs-outangs velus fit irruption sur la piste, bousculant et cassant tout sur son passage.

Une fois revenues du choc initial, les filles réalisèrent qu'il ne s'agissait pas d'orangs-outangs mais bien d'une horde de hooligans et de casseurs. «Nous avons réussi à nous carapater par la sortie de secours, mais nous avons eu la peur de notre vie. C'est plus horrible qu'une visite chez le dentiste.» Si tu envisages de sortir en boîte, j'espère que tu t'y amuseras, mais je te conseille vivement de parer au pire.

Drague

Tu te trouves dans le bus de l'école, occupée à mâchonner consciencieusement ton chewing-gum. Il est assis à côté de toi, il te donne des coups de coude et ses mains s'approchent de toi. Tu crois qu'il a un tic nerveux. Lui pense qu'il a toutes ses chances. Tu n'aimes pas ses mains baladeuses. Souviens-toi de la manière dont Elisabeth I traitait les personnes qui tentaient de mettre la main sur son trône. Je suis persuadée que cela lui coupera tous ses effets. Mais que faire si tu as des vues sur lui et

qu'il ne répond pas à tes avances? Tiens-tu vraiment à ton bras? Le jeu en vaut peut-être la chandelle. S'il t'inflige le même sort, il te restera toujours un bras.

Ego

S'il existe une chose qu'un garçon adore, c'est bien son ego. Non seulement cet ego lui dicte à quel point il est remarquable (intelligent, beau, etc.), mais il le signale également au reste du monde. Son ego mène en quelque sorte une campagne publicitaire permanente qui commence par les mots JE SUIS... suivis d'une description longue et brillante de ce qu'il considère comme ses qualités et ses points forts.

Un garçon doté d'un ego particulièrement développé voue donc un véritable culte à sa propre personne. De plus, il attend que tu en fasses autant. Par contre, ne t'attends jamais à recevoir le même traitement de sa part. S'il écoute son ego, il estime déjà t'accorder une énorme faveur en te permettant de l'idolâtrer et de te rouler à ses pieds.

Même si son ego n'est pas très développé, le garçon pense également qu'il est extrêmement beau, intelligent et sensible.

Seule sa timidité l'empêche de l'affirmer. Par contre, il n'arrête pas de geindre et de te câliner pour que tu avoues qu'il est le plus beau, le plus intelligent et le plus sensible du monde. Il ne se satisfait pas de te l'entendre dire une fois en passant. Il veut que tu le lui répètes inlassablement. Et si tu as besoin d'un compliment, tu peux l'oublier, car il est persuadé d'être le seul à mériter des civilités.

La meilleure chose que tu puisses souhaiter est de rencontrer un garçon avec un ego moyennement développé. Mais ils sont aussi rares que les moutons à cinq pattes, ce qui complique sérieusement la recherche.

46

Embarras

Commençons par la mauvaise nouvelle : à un moment ou à un autre de ta vie, un garçon te mettra dans l'embarras. Aucune fille n'y échappe. La bonne nouvelle est qu'il s'agit d'une des pires épreuves que tu auras à endurer. Même si tu as l'impression qu'en cet instant précis le sol se dérobe sous tes pieds, je peux t'affirmer qu'aucune fille n'en est morte, du moins jusqu'à présent. Avec un peu de chance, tu ne seras donc pas la première.

Que celles qui n'ont jamais vécu pareille expérience sachent ce qui les attend :

A. Tu annonces à ta mère que tu as rencontré le garçon le plus génial du monde. Il a tout du gendre idéal. Ta maman est impatiente de rencontrer ce parangon. Dès qu'il a franchi la porte d'entrée, il se métamorphose en un infâme crétin. Il est incapable d'aligner deux paroles intelligentes. Il se fourre les doigts dans le nez, il fait du bruit en buvant sa soupe et, lorsqu'il se lève, il renverse la table et ta mère peut dire adieu à son superbe service de table en porcelaine.

B. Tes parents organisent une soirée au Ritz pour fêter leurs noces d'argent. Ils t'ont fait l'immense plaisir d'inviter ton petit ami. Le carton d'invitation mentionne que la tenue de soirée est de rigueur. Qu'à cela ne tienne, il arrive nu comme un ver, car il a l'habitude de dormir en tenue d'Adam.

C. Ses parents organisent une soirée au Ritz. Ce matin-là, tu t'es levée à six heures pour être prête : tu t'es lavé et séché les cheveux, tu as trouvé que ta coiffure n'était pas franchement une réussite et tu as recommencé l'opération. Tu te trouves ensuite confrontée à des tas d'autres problèmes cruciaux: Quel rouge à lèvres vais-je utiliser? Non, pas celui-là. Il n'est pas parfaitement assorti à ton mascara. Le parfum qu'il t'a offert à l'occasion de ton anniversaire convient-il bien à la situation?

Finalement, tu finis par être prête et tu arrives au Ritz, su-permignonne dans ce ravissant ensemble pour lequel tu as épargné durant plus de six mois.

Tu te demandes pourquoi tout le monde contemple tes pieds. Devine qui a oublié d'enlever ses baskets? Dans ce cas, la meilleure solution consiste à ne pas s'en inquiéter. Si tu ne t'en soucies pas, il est probable que personne ne s'en souciera. Si les gens s'en offusquent, c'est leur problème. Évite de t'en mêler.

Embrasser

Tout dépend de leur âge. Les bébés de sexe masculin dé-posent des baisers baveux sur tout ce qui passe à portée de leur bouche, de leur nounours à leur grand-mère en passant par leur tante. Les jeunes garçons détestent deux choses : les baisers et se laver derrière les oreilles. Par contre, en grandissant, leur intérêt pour les baisers va en augmentant. Je te conseille donc fortement de rester sur tes gardes. Ils embrasseraient n'importe qui.

Certains garçons déposeront des baisers sur ta joue, sur tes lèvres pulpeuses ou n'importe où. D'autres n'ont au-cun sens de l'orientation et ils pourraient aussi bien em-brasser le tronc d'arbre contre lequel tu t'es appuyée. Mais peut-être préfères-tu qu'il embrasse l'arbre? Et si ce n'est pas le cas?

Apprendre à embrasser, c'est un peu comme apprendre à jouer du violon. Il faut s'entraîner pour progresser.

Suggère-lui d'acheter un violon et de commencer à s'en-traîner.

Ex

Les relations que tu entretiendras avec ton ex-petit ami dépendront beaucoup de la manière dont vous vous êtes séparés. Est-ce lui qui t'a larguée ou est-ce toi? Si c'est toi, il se peut que tu veuilles rester sa copine. S'il t'a pla-

quée pour ta meilleure copine, je suppose que tu aimerais qu'on vienne te servir sa tête sur un plateau. Tel fut le destin de Jean Baptiste lorsqu'il eut le malheur de déplaire à Salomé. Jean Baptiste fut canonisé plus tard. A moins de vouloir réserver le même sort à ton ex-petit ami, je te conseille de garder la tête froide afin qu'il puisse garder la sienne. Considère-le simplement comme une erreur de jeunesse.

Fléchettes

C'est le jeu préféré des garçons dont le volume du cerveau est inversement proportionnel au volume de la tête. Il consiste à lancer un projectile empenné dans le centre d'une cible. Le garçon qui loupe la cible devient généralement enragé. Il risque alors de charger tous ceux qui se tiennent dans ses parages. Garde tes distances ou enfile des vêtements de protection.

Flirt

Flirter avec quelqu'un revient à le taquiner. Or, taquiner est le sort que tu réserves généralement à ton petit frère.

Ceci revient à dire qu'un garçon qui flirte avec toi s'occupe en définitive à te taquiner, ce que tu réserves généralement à ton petit frère. Nous voilà donc revenues à notre point de départ parce que flirter c'est également faire tourner quelqu'un en bourrique au point de ne plus savoir où il est. Si tu as l'intention de flirter avec un garçon, n'oublie pas de ramener une carte d'état-major pour qu'il s'y retrouve. A un moment donné, la situation te semblera très confuse et tu seras incapable de dire si tu flirtes ou si tu le taquines.

Frère (ton propre –)
Ton frère n'est pas un être avec lequel tu as choisi de vivre. Il t'a été imposé par tes parents. Si tu n'as vraiment pas de chance, il se peut même que tu en aies plusieurs.
Les frères croient obstinément qu'ils ont été envoyés sur la terre pour rendre leurs sœurs dingues (voir *Dingue*). Les grands frères t'empoisonnent également l'existence dans la mesure où ils prennent plaisir à divulguer les notes que tu as soigneusement consignées dans ton journal intime. Les petits frères, quant à eux, s'amusent à faire des dessins à l'encre indélébile dans ton cahier de sciences naturelles.
La réaction naturelle consisterait à te mettre à hurler et à sangloter. Une telle attitude est à proscrire dans la mesure où tes frères attendent que tu réagisses de la sorte.

50

Les actes de vengeance sont également déconseillés. Tu pourrais te faire justice en écartelant ton frère, en le faisant cuire dans l'huile bouillante et en le donnant en pâture au chat féroce du voisin. Ce bas monde étant profondément injuste envers les filles, il y a gros à parier que tu te feras pincer et punir par tes parents.

La meilleure chose consiste à serrer les dents, à faire preuve de dignité et à ignorer tes frères en tout temps et en tout lieu Ces écervelés se lasseront rapidement de ce petit jeu stupide. Dès qu'ils constateront que tu ne perds pas patience, ils cesseront de t'importuner.

Frère (celui des autres)

Ils te rendent rarement aussi dingue que tes propres frères. Quelques-uns peuvent mériter ton amitié, voire davantage…

FRÈRES

LE TIEN   CELUI DES AUTRES

Grenouille

Lorsqu'une princesse embrasse une grenouille mâle, elle (la grenouille) se transforme en prince. Si tu es une princesse, procure-toi une épuisette, capture une grenouille et colle tes lèvres contre les siennes. Si tu n'es pas une princesse, je te déconseille d'embrasser les grenouilles.

51

Gugus (un type de garçon)

Au moment de leur naissance, certains garçons sont déjà des gugus. Les parents qui contemplent le menton dégoulinant de leur rejeton se regardent tristement en soupirant que leur fils est un gugus. Même si certains individus portent un prénom charmant, par exemple, Charles-Édouard ou Jean-Grégoire, les personnes plus âgées les ont souvent traités de gugus. Certains croient même qu'il s'agit du prénom qu'ils ont reçu lorsque leur père est allé déclarer leur naissance à la mairie.

Les garçons adorent se vanter. À propos de tout et de rien. À propos de leurs biceps et du nombre de beignets qu'ils sont capables d'avaler en une minute. (Mais tout le monde s'en fout.) Mais tu n'entendras jamais un garçon se vanter d'être un gugus. Pourquoi? Tout simplement parce que, en réalité, les gugus n'ont vraiment pas de quoi se vanter. Ils font l'objet de railleries de la part de leurs contemporains. Le gugus passe la nuit à faire ses devoirs. Comme il les oublie dans le bus, il se voit obligé de recommencer tout le travail. Le gugus travaille jour et nuit pour t'acheter les meilleures places pour le concert de ton groupe préféré. Arrivé au concert, il se rend compte qu'il a oublié les billets d'entrée. Lorsqu'il se promène en ta compagnie dans la campagne et qu'il voit un chien patauger au milieu de la rivière, il n'hésite pas à plonger pour le sauver, oubliant du même coup que, contrairement aux gugus, les chiens savent nager. Il faudra que tu sacrifies tes plus beaux vêtements pour le (le gugus) sauver de la noyade.

Par contre, le gugus te fera devenir complètement maboule, dingue ou brindezingue peut-être ou les trois en même temps. Réfléchis toujours deux fois avant de le larguer, car ce garçon a un cœur grand comme ça et tu seras toujours sa muse. (Compare-le avec les autres types de garçons.)

Idiot

Un garçon qui prétend ne jamais faire l'idiot est soit un menteur, soit un extraterrestre déguisé en garçon. Dans ce dernier cas, tu dois immédiatement en faire part à :
Freddy Dingue
Unité de détection des extraterrestres
Maison des Fêlés
Boulevard des Illuminés
Paris

Je

Le mot favori des garçons. Adopte-le également.

Macho

Un garçon macho pense posséder tout ce que les filles attendent de lui. Si tu veux savoir ce que cela signifie, il faudra que tu lui demandes parce que je n'ai jamais été en mesure de le découvrir.

Moi

La personne que les garçons préfèrent par-dessus tout. Tu devrais songer à en faire autant.

Muscles

Un garçon fier de ses muscles (formes lourdes et saillantes qui apparaissent sur les bras, les jambes et la poitrine) possède rarement autre chose dont il pourrait se vanter, par exemple, un cerveau. Ce Rambo aspire au retour de l'Âge de la Pierre, car, à l'époque, il valait mieux être musclé qu'intelligent. De plus, ces Tarzans étaient très demandés, car ils excellaient dans l'art de manier la massue, une arme préhistorique indispensable.

Les habitants des cavernes l'utilisaient pour se défendre contre les animaux qui voulaient les dévorer tout crus et pour tuer le gibier dont ils se nourrissaient. On peut dire sans risquer de se tromper que si les hommes préhistoriques n'avaient pas été musclés, la race humaine se serait éteinte à l'Âge de la Pierre. A présent, le musclé n'est plus qu'un vestige des temps lointains et révolus, qui attend le retour de sa période de gloire. Les armes inventées par les Cerveaux (voir *Les types de garçons*) peuvent faire disparaître le monde tel que nous le connaissons actuellement. Un seul big bang suffirait à nous balayer de la surface de la terre et nous réexpédier à l'Âge de la Pierre. Nous nous efforcerons donc d'être gentilles envers les garçons musclés. On ne sait jamais de qui on peut avoir besoin dans la vie.

Non

Lorsque ta grand-mère était encore une jeune fille, il existait une croyance très répandue selon laquelle le diamant était le meilleur ami de la femme. Cette croyance était progagée par les hommes de sorte qu'ils pouvaient traiter les filles aussi mal qu'ils le voulaient et ensuite se

faire pardonner en entrant chez le premier bijoutier venu pour y acheter un ou deux diamants. De nos jours, les filles qui aiment les diamants les achètent généralement elles-mêmes, car elles savent que leur meilleur allié est le mot NON. Il est bref et dénué de toute ambiguïté. Même les plus grands crétins sont capables d'en percevoir le sens. Placé au moment opportun, le NON est aussi efficace qu'un coup de poing dans le foie.

Une fille capable de dire NON est une fille qui ne reçoit jamais ce qu'elle ne désire pas recevoir. Il vaut la peine de s'entraîner devant un miroir, de sorte que si le garçon que tu aimes moins que ton petit frère te demande de te raccompagner après une soirée en boîte ou que si ton petit frère veut emprunter ton baladeur, tu puisses leur assener un NON bien cinglant.

Olives

Les fruits de l'arbre dont les branches te seront utiles pour signer l'armistice au cas où tu te serais disputée avec ton petit ami. (Voir *Querelles*).

Pleurer

Si tu souhaites réellement que ton petit ami devienne riche et célèbre, fais-le pleurer en public – choisis un endroit aussi public que possible. S'il pleure sur ton épaule, il est peu probable qu'il fasse les gros titres de la presse nationale. N'envisageons donc pas cette éventualité. Fais-le pleurer là où tu es certaine qu'on le remarquera, par exemple, au sommet de la tour Eiffel ou au milieu d'un terrain de foot. Mais assure-toi que ce soit bien à l'occasion de la finale de la Coupe du Monde.

Il jouira d'une publicité incomparable. Comme il ne tardera pas à devenir riche, tu pourras te faire offrir tout ce que tu souhaites[1].

Punks

Les punks ont prospéré dans les années 70. Ils hantaient le centre des villes, principalement le samedi soir. Ils étaient faciles à reconnaître, parce qu'ils portaient tous le même uniforme : des jeans serrés et troués aux genoux, un T-shirt-gruyère (plus de trous que de tissu), cinq boucles d'oreilles dans une oreille, aucune dans l'autre, une épingle de sûreté au travers du nez et des bottines à clous. Ils avaient la tête rasée, à l'exception d'une crête enduite de laque et teinte en rose bonbon ou vert fluo.

Lorsque les garçons et les filles punk se vêtaient de la même manière, l'homme (et la femme) de la rue avaient du mal à les distinguer. S'il reste des punks, je les prie de prendre contact avec l'éditeur. Ce dernier serait très heureux de connaître la manière de distinguer les sexes chez les punks afin que cette information capitale puisse figurer dans la prochaine édition du livre.

---

1. Pourquoi ne pas en profiter pour demander un avion à réaction en or massif, une île au soleil ou un VTT serti de pierres précieuses? A toi de choisir.

Querelles

Lorsque tu te querelles avec ton petit ami, tu peux (a) rompre (b) aller te maquiller. (N'essaie pas de recoller les morceaux, car une amitié rafistolée est un peu comme une chemise raccommodée – elle se déchire rapidement aux endroits rapiécés.)

a) Dis à un garçon que nous appellerons Pierre que tu préfères, disons, Jean et que tu as un rancard avec lui. Pierre sera complètement déchiré (il faut parfois savoir être cruelle). Tu jetteras les morceaux dans une poubelle que tu rencontreras en te rendant au ciné avec Jean.

b) La solution suivante est moins évidente. Il te faudra une branche d'olivier (voir *Olives*) ou un drapeau blanc. Si tu ne possèdes ni l'un ni l'autre, comme c'est le cas pour la plupart des filles, il ne te restera plus qu'à présenter tes excuses. Si ça te reste en travers de la gorge, tu peux toujours faire appel à un plombier.

Rancard

Il peut donner lieu à d'agréables surprises. Hélas, ces rancards ont souvent une issue imprévisible. Le rendez-vous dont tu as tout lieu de penser qu'il sera merveilleux se transforme parfois en un véritable cauchemar, alors que le rancard tant redouté peut se révéler une bénédiction.

Certains rancards deviennent des catastrophes nationales. Refuse-les, toujours. Tu ignores comment refuser un rancard? Essaie donc la technique suivante :

LUI : Si je t'ai demandé de sortir avec toi, c'est tout simplement parce que la fille que j'aime vraiment m'a laissé tomber.

ELLE : Adieu (ou toute autre expression plus colorée visant à obtenir le même effet).

LUI : Si tu paies ma place et que tu m'achètes un paquet géant de pop-corn, je t'emmène au cinéma.

ELLE : Je te remercie de ta générosité, mais je n'en ai pas les moyens.

LUI : Je sortirai avec toi le jour où tu te seras fait couper les cheveux. Je déteste les filles aux cheveux longs.

ELLE : Et moi, je n'aime pas les garçons qui ont la grosse tête. Fais-toi amputer et je pourrais changer d'avis.

LUI : Je vais à la pêche avec mes copains. Tu peux nous accompagner si tu veux.

ELLE : J'en ai de la chance. Oublie-moi, mon pote.

Rats

Animaux peu ragoûtants aux yeux globuleux, dotés d'une longue queue et de moustaches. Vivent dans les dé-

charges et les égouts. Sont généralement les premiers à quitter le navire. Le mâle est souvent très beau et charmant. Il te fait de jolis sourires de face et t'insulte dans le dos. Ne donne jamais une seconde chance à un rat. Rat il est, rat il resteRAT. Largue-le immédiatement.

SALUT, MA POULE !

Romantisme

Les garçons sont des êtres très romantiques. Seulement, ils l'ignorent. Comment le leur dire? Être romantique ne sert strictement à rien... suggère-lui de faire une balade au clair de lune et il pensera aussitôt que tu lui demandes de l'accompagner parce que tu as perdu ta torche. Tu peux éventuellement essayer d'épeler la phrase suivante: N.O.U.S. F.A.I.S.O.N.S. U.N.E. B.A.L.L.A.D.E. A.U. C.L.A.I.R. D.E. L.U.N.E. P.A.R.C.E. Q.U.E.
S'il a des problèmes d'orthographe, trouve-toi un autre petit ami.

Sentiments (les siens)

C'est son anniversaire. Tu lui offres le CD, le chandail, le ouistiti de ses rêves. Il est aux anges. D'autant plus que c'est toi qui les lui as offerts. Mais crois-tu qu'il manifestera les sentiments qu'il éprouve à ton égard? Il se peut qu'il te remercie, mais, dans la majorité des cas, il se contentera de te lancer un regard froid et vide ou un grognement. À ce moment, tu te demanderas ce que tu as bien pu faire pour lui gâcher son anniversaire.

TOUT CECI N'EST QU'UN VIL MENSONGE

Tout est la faute d'Adam, dont le premier sentiment fut inspiré par la crainte de Dieu. La crainte n'est pas bonne conseillère. Depuis lors, les garçons ont toujours eu peur d'avoir et d'exprimer leurs sentiments. Ils essaient de les camoufler, de les enfouir ou, mieux, de se persuader qu'ils n'en ont pas.

Que peux-tu faire? Tu peux lui donner un traitement contre l'acné (par exemple, le plaquer et le laisser seul avec ses sentiments). S'il ne peut ou ne veut pas manifester ses sentiments, réfléchis à deux fois (trois fois, quatre fois, voire un million de fois) avant de lui faire part des tiens. C'est une tâche insurmontable. D'autant plus que tu ne devras pas t'attendre à recevoir le moindre remerciement.

Sentiments (les tiens)

Si tu lui annonces que tu te sens offensée parce qu'il vient de laisser tomber (une fois de plus) sa batte de base-ball sur ton pied ou parce qu'il a oublié ton anniversaire (une fois de plus), il te regardera comme si tu étais vraiment malade et il te conseillera d'aller voir un médecin. Il en est capable, n'est-ce pas? Parce que les garçons ont horreur d'éprouver des sentiments, quels qu'ils soient. Si

tu éprouves des sentiments à son égard, il essaiera de te persuader que quelque chose cloche chez toi. Je te conseille donc vivement de les garder pour toi.

Supermarché

Tous les jours, des centaines de milliers de personnes se rendent dans les supermarchés. Si tu es à la recherche d'un garçon, il faut que tu saches qu'il y a autant de garçons dans les supermarchés qu'il y a d'icebergs dans le Sahara. Même s'ils adorent se gaver de nourriture, les garçons ont une sainte horreur de faire les courses, la cuisine et la vaisselle. Ils partagent cette caractéristique avec le cochon (un animal qui adore bouffer, mais que personne n'a jamais vu récurer son auge).

Si tu fuis les garçons, réfugie-toi dans un supermarché.

Téléphone

Tu ne veux pas qu'il te bigophone. C'est un enquiquineur, un minable, la dernière personne au monde que tu désires avoir au bout du fil. Tu es occupée à regarder ton

feuilleton préféré ou tu passes la soirée à te laver les cheveux lorsque soudain… DRING, DRING. Cela ne peut être que lui. Évidemment. Qui d'autre aurait cette idée saugrenue?

Aucune loi ne t'oblige à décrocher. Aucune! Par contre, ta mère prétend qu'il faut rester polie, quelles que soient les circonstances.

Suggère poliment à ton correspondant de se glisser la tête dans un sac en papier et raccroche. Il est peu probable qu'il continuera à t'importuner.

OU ALORS

Tu veux qu'il t'appelle et il ne le fait pas. Donne-lui un coup de fil pour le lui dire et raccroche.

Umm

Un mot utilisé fréquemment par des garçons qui ont beaucoup à dire mais qui ne trouvent pas les mots pour le dire.

Vermine (voir *Rats*)

Vulgarité

Quel mot extraordinaire! Il entraîne invariablement la réaction «Ouhouhouh» (prononce-le à haute voix et tu

sauras exactement de quoi je parle). Mais qu'est-ce que la vulgarité?

Durant les périodes obscures de l'histoire (avant l'invention de la lumière artificielle), une fille était vulgaire si elle mangeait les petits pois en se servant du dos de sa cuiller ou quand elle pétait à table plus souvent qu'à son tour.

A l'époque actuelle, cela n'a plus guère d'importance. Le garçon qui prétendrait le contraire serait manifestement un attardé.